así es

ediciones
gamma

Bogotá

Consuelo Mendoza de Riaño

Directora

Armando Matiz

Fotógrafo

Dirección y Diagramación
CONSUELO MENDOZA DE RIAÑO

Fotografías
ARMANDO MATIZ ESPINOSA

Fotógrafos invitados
MAURICIO MENDOZA
DANIEL RODRIGUEZ

Textos de fotografías
CRISTOBAL OSPINA

Coordinación de Producción
ROSALBA CANO AYALA

Diseño de Carátula
OCTAVIO PERDOMO CABRERA

Traducción al Inglés
THOMAS QUINN
ELLEN LILLEY

Composición de textos
ELOGRAF LTDA

Impresión, selecciones a color y encuadernación
LITOGRAFIA ARCO

Una publicación de
EDICIONES GAMMA S.A. - REVISTA DINERS

Gerente
GUSTAVO CASADIEGO CADENA

ISBN: 958-95108-4-1

PRIMERA EDICION

Impreso en Bogotá, Colombia.
Con ocasión de los 450 años de la ciudad.

Contenido

*E*ste libro propone un recorrido por Bogotá en una doble dimensión de tiempo y espacio. De tiempo, porque a través de imágenes y textos lanza una mirada hacia el pasado de la ciudad, a sucesivos momentos no sólo de su arquitectura sino también de su vida. De espacio, porque está organizado como un viaje por sus diversas zonas.

A lo largo de este recorrido, que parte de La Candelaria y sus más íntimos rincones coloniales, desfila la arquitectura de principios del siglo, la muy inglesa de barrios tales como Teusaquillo y el Parque Nacional, la impetuosa modernidad del centro internacional, de la zona cuya arteria vital es la Carrera 15 y de las urbanizaciones que cada vez más lejos se extienden hacia el norte, invadiendo a veces la falda de los cerros o confines de la Sabana. La gira propuesta no omite tampoco la zona industrial, el sur, el occidente, el aeropuerto, la Terminal de Transporte, las avenidas 68 y Rodrigo Lara, la circunvalar, los clubes y conjuntos urbanísticos surgidos a los lados de la autopista norte.

Visión de un paisaje urbano, pero también humano y social, pues este libro detiene su mirada sobre la gente y la vida cotidiana. Hemos buscado dar un reflejo de una ciudad que hoy es plural, dinámica, incierta, rica en contrastes, en permanente mutación, y desbordada por el vértigo de su profuso crecimiento. Ofrecemos, una suma, una instantánea del Bogotá de 1988, a sabiendas de que sólo un eco queda en estas páginas del Bogotá que fue, y sólo destello premonitorio del Bogotá que será. Fotografías y textos de algunos de nuestros mejores escritores se asocian, pues, para fijar en este álbum la imagen de la ciudad a la altura de sus cuatrocientos cincuenta años.

Consuelo Mendoza de Riaño

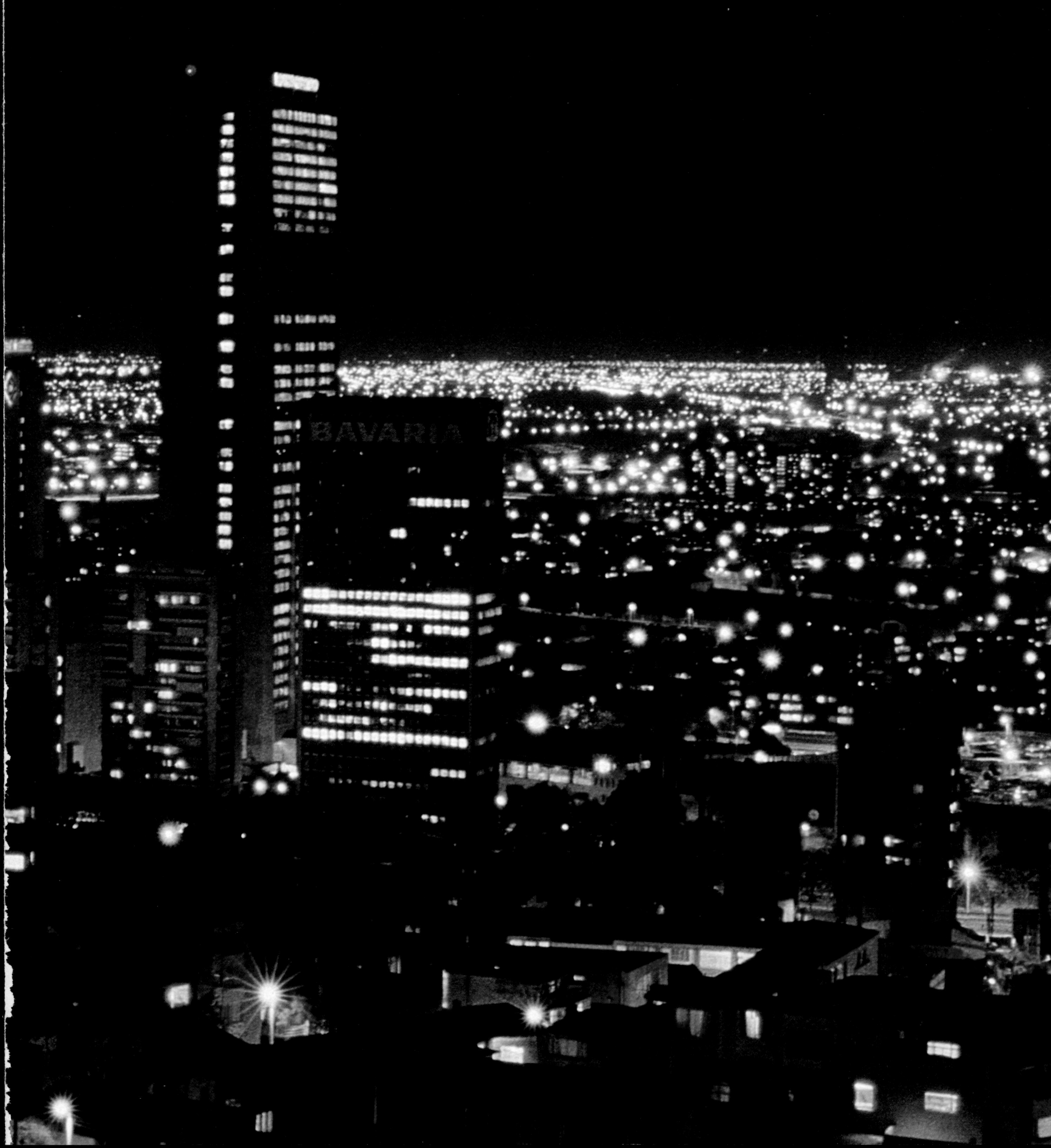
BAVARIA

PRÓLOGO

Desde cuando organilleros, pajareros, gitanos y amables locos sueltos poblaban con el eco de sus melancólicas letanías las hermosas y desiertas calles de un Bogotá que se soñaba Londres —hablo de 1938— hasta hoy cuando la gran capital ya no recuerda el juego de buscar en la rueda de la fortuna el sino fatal de sus azares, han transcurrido apenas cincuenta años, la vida de un hombre, el nacimiento de tres generaciones, pero también un largo medio siglo histórico. Cualquiera que sea, sin embargo, nuestra aproximación al tiempo que desaparece, lo cierto es que de aquel cuatricentenario a este nuevo hito conmemorativo, Bogotá pasó de trescientos mil habitantes a cuatro millones. De aldea a metrópoli. De sociedad agreste, resignada y cordial a caótico enfrentamiento, violento pero esperanzado, por sobrevivir y triunfar.

En aquel remoto año de 1938, nadie —ni siquiera los poseedores de astrolabios provincianos— hubiera sido capaz de prever el destino bogotano. No lo fueron los peripatéticos pajareros, en cuyas jaulas canarios y pericos se disputaban el honor de entregar al ansioso cliente el perifrástico mensaje de las estrellas. Y no lo fue el mayor arquitecto del siglo, Charles-Edouard Jeanneret, Le Corbusier, cuyo horóscopo urbanístico de 1949 no resistió ni cinco años el impacto de las corrientes inmigratorias que, impulsadas contemporáneamente por la violencia política y el afán de progreso, transformaron la opaca aldea rural en resplandeciente campo de batalla de las nuevas generaciones, polarizadas entre el rock y el también importado vallenato.

El "Almanaque de Bogotá y Guía de Forasteros" de 1867 indica que Bogotá constaba para aquel entonces de 2.720 casas, 32 quintas, 30 templos católicos y un oratorio protestante; seis plazas, nueve plazuelas, seis baños públicos, tres cementerios, un telégrafo y 40 mil almas. La ciudad se dividía en cuatro parroquias: la Catedral, Las Nieves, Santa Bárbara y San Victorino; sus colegios eran dirigidos por don Ricardo Carrasquilla, doña Belén de Ortega, don José Joaquín Ortiz y don Lubín Zalamea; y sus diversiones —precedidas de voladores y truenos—, se dividían entre elegantes saraos, sangrientas riñas de gallos y tedeums a toda orquesta.

De la ciudad umbrosa y fría que evocan en estas mismas páginas Gabriel García Márquez y Plinio Apuleyo Mendoza, suponiendo que alguna vez existiera, no va quedando nada, como reza el bolero, otra insignia musical de la Bogotá de entonces. Los "cachacos", apelativo con que los tradicionales "adversarios" de la Costa —¿cómo no recordar aquellos épicos partidos de fútbol entre samarios y capitalinos?— quisieran disminuir a los atildados habitantes del altiplano sabanero, no aceptan con facilidad los "recuerdos" que nuestros grandes escritores costeños, genuinos o adoptados, le endilgan "saltuariamente" a la para ellos pretenciosa capital.

El alud inmigratorio llegó de todas partes y todo lo modificó, hasta el clima. Tolimenses, boyacenses, caldenses, fueron los primeros. Entre estos últimos venía el único capaz de entrever el futuro de Bogotá: Fernando Mazuera, un pereirano generoso que se sentía predestinado para encarrilar la anárquica marcha de la ciudad. Gracias a él, a sus esfuerzos ingentes y constantes, el gigantesco crisol de razas, regionalismos y desigualdades en que comienza a convertirse la Bogotá nacida del 9 de abril, se vuelve también la más vasta encrucijada del país... Las amplias avenidas con que el Alcalde bogotano por antonomasia, émulo del parisino Barón Haussmann, traza el futuro de la ciudad, se convierten en los mil brazos con que la aldea busca y atrapa su destino de metrópoli.

Bogotá, ciudad de cabeza fría y sangre caliente. Ciudad única, singular, espiritual y sensual. Ciudad fuerte acostumbrada al lujo y la pobreza, escéptica, irónica, densa en las grandes cocinas de sus restaurantes populares donde asados, pasteles y golosinas sin cuento revelan su vocación de gran burguesa. Ciudad tenebrosa también. Ciudad de batallas políticas y crímenes impunes. Ciudad que hace llorar a Nariño y Bolívar. Ciudad trágica: cada medio siglo una muerte terrible sacude la trama de su historia: Silva, Uribe, Gaitán... Ciudad abierta y secreta. Ciudad de monumentos públicos y ocultas placas conmemorativas. Ciudad malhumorada y frenética. Ciudad doblemente ostentosa y sórdida. Ciudad de lucha, de vida y de muerte. Culta, grave, sombría y alegre al mismo tiempo, ardiente y apasionada, Bogotá vista desde Monserrate es un gran hormiguero donde cada habitante juega su papel en el drama orquestado por el azar. Ciudad kitsch, espejeante de grafitos: al caer de la tarde las siluetas de los grandes rascacielos recubren el paisaje de luciérnagas nacientes que juegan su juego de sombras chinescas. Ciudad de jóvenes y gamines, cuya risa triunfal se confunde entre esperanza celeste o rictus diabólico. Ciudad de arquitectos. De ladrillo, piedra, cemento y adobe. Ciudad de iglesias y oscuras saturnales. Ciudad de virtud y de pecado. Ajena a toda caridad, sólo premia a los sobrevivientes. Reacia al engaño de sus políticos, cada cuatro años cambia el ídolo que ella misma construye y luego derriba. Ciudad de universidades y academias, calma su vanidad con el equívoco bautismal de Miguel Cané: "la Atenas Sudamericana".

La ciudad es también la carrera séptima. Allí está, inconmovible, desde cuando fuera la Calle Real, desde cuando en sus cafés y tertulias Alfonso López Pumarejo proclamaba hace sesenta años el ingreso de Colombia a la edad moderna. Ni los incendios del 9 de abril, ni los *bulldozers* de Mazuera, ni la prosperidad y decadencia de los imperios mercantiles surgidos a su vera, han conseguido cambiar su fisonomía. Allí permanece, tan campante. Hay todavía peatones que en las esquinas siguen esperando, veinte años después, el paso de su destino. Un destino inexorablemente retrasado, como una carta perdida...

Alma femenina, Bogotá goza de sus cinco sentidos. Tiene rostro, mirada, voz, olor y sabor. Coquetea con los escritores, pero todavía está esperando el García Márquez que sí encontraron Tamalameque, Mompox y Barranquilla.

La rosa de los vientos bogotana —luz ecuatorial, translúcida en el amanecer, cruda y brutal al mediodía, centellante en la tarde— hace años indica lujo en el norte, tumulto en Chapinero, tranquila dignidad de pobreza ancestral en La Candelaria, feudalismo en ciertos antiguos potreros del sur, miseria en oriente y occidente...

La Plaza de Bolívar ha recogido toda la historia del país y es, desde el 6 de agosto de 1538, cuando la funda el conquistador-letrado Gonzalo Jiménez de Quesada, el centro auténtico de la ciudad, su cabeza histórica, que muchas veces ha dejado pensar sólo al corazón. En el centro la noble estatua del Libertador es testigo de conmociones, batallas y cambios implacables. Regada por la sangre de los mártires, ha visto los triunfos y derrotas de Nariño, Bolívar, José Hilario López, José María Samper, Mosquera, Núñez, Reyes, Olaya, López Pumarejo, los Lleras, Gaitán, Belisario Betancur... En 1960, Fernando Martínez le recupera su carácter de vasta ágora cívica y política. Sencilla y adusta, refleja, como la sólida Catedral, lo que somos o debemos ser los colombianos... Y más arriba la Plazuela de Nariño y hacia el otro costado el Palacio: sí, allí está el recuerdo del más grande y noble de los bogotanos, don Antonio Nariño: "Hombre de salón y periodista de ingenio, valiente sin alardes, letrado sin jactancia, sencillo en el triunfo, orgulloso en la derrota, ponderado en la vida y cortés y elegante hasta en la muerte", según las palabras de Daniel Samper Ortega.

En 30 años Bogotá absorbe 44 mil hectáreas, con una densidad de 2.800 habitantes por kilómetro cuadrado, mientras anualmente siguen llegando 35 mil personas y se construye a ritmo vertiginoso, de 15.267 construcciones nuevas en 1982 a 37.000 en 1986. Así, con el tiempo, Bogotá vuelve a su vocación de ciudad de encuentros. Superada la etapa de consolidación de una nueva sociedad que asciende a golpes de fortuna, cristalizada la emergencia telúrico-humana de los últimos años, los bogotanos sobrevivientes de la hecatombe urbanística, en parte detenida por el gobierno de Belisario Betancur, comienzan a rescatar la calle. Los jóvenes descubren el placer de la conversación en cafés y restaurantes, en plazas y parques, en las ciclovías dominicales donde se revela también la innata vocación a la competencia y al deporte que bulle en todo habitante de la ciudad. Y la ciudad son sus gentes, su pequeña o grande historia, y sus sitios de reunión, de encuentro humano, sus restaurantes y cafés, sus hoteles y sus casas, sus balcones y portones, sus iglesias y campanarios, sus almacenes, tiendas y *boutiques*, sus galerías comerciales, sus teatros, bibliotecas y museos, sus revistas y periódicos, sus universidades y colegios. El bogotano es ante todo un pueblo que no se arredra ante la fatalidad, que contesta siempre el desafío de la historia, que marcha hacia adelante, que supera la sordidez y la miseria, que se enmarca, en fin, en lo real-maravilloso, constante latinoamericana, visión real y al mismo tiempo fantástica de otra realidad. Imaginación y violencia que desde los tugurios miserables lanzan a la luz resplandeciente de la ciudad el reto de una nueva sociedad en ascenso. Desde los cerros la arboladura de los millares de antenas de televisión confiere a la ciudad gigantesca la silueta de un barco fantasma aparejando hacia el crepúsculo rojo de la eternidad... Pero Bogotá está anclada en su propia historia, en sus 450 años de grandeza y servidumbre, en su pasado de gloria y mezquindades. Aquí se queda, en uno de los más hermosos rincones de la tierra, luchando, amando, odiando, viviendo...

Alberto Zalamea

SAL, ORO Y ESMERALDAS

Germán Arciniegas

Lo que dejó a sus espaldas Jiménez de Quesada en su viaje de Santa Marta al altiplano, va desde la ferocidad de los caimanes y los tigres hasta la rasquiña de las niguas que acabó parando la tropa. Pero todo le hablaba de riquezas fabulosas y hasta la candela de las niguas en los pies fue convirtiéndose en los idilios de los soldados que acababan gozando de las indias cuando les sacaban niditos de huevos y labradores insectos con topos de oro. Se dice que el señor de estas tierras —el Bogotá— había escogido este lugar de encanto —Teusaquillo— para holgar. Y era una delicia ver semejante pedazo de verdura, al pie de los altos cerros, entre dos ríos de aguas abundantes y puras. *"Tierra Buena, Tierra Buena ¡Tierra que pone fin a nuestra pena!"*, escribió el poeta de los cien mil versos.

Poniendo las cosas de tres en tres, los conquistadores, que vinieron a ser Gonzalo Jiménez de Quesada, Nicolás de Federman y Sebastián de Belalcázar, llegaron a la tierra de la sal, el oro y las esmeraldas. Y trajeron el uno el burro, el otro las gallinas, el tercero los puercos. Toda la escala, de las cosas humanas a las sensacionales y las domésticas. En tres piedras se apoya el fogón de la historia original de Bogotá.

La escogencia del lugar la tuvo Jiménez de Quesada, y no fue repentina. A caballo, sobre lo que iba a ser la silla de la Colonia, había llenado todo un primer capítulo, con la expedición a las minas de esmeraldas, el sacrificio de Sacresaxigua (a quien se le quemaron los pies y se le echó de este mundo por no haber entregado el oro del Bogotá que nadie encontró), el incendio del templo de Sogamuxi... Don Gonzalo no sólo había medido la Sabana de Bogotá, sino las tierras de Tunja y las comarcas de los muzos. Lo más lindo de cuanto vio era Teusaquillo. Y lo más bello los dos cerros: el Monserrate y el Guadalupe. Lo que hoy son campos de trigo, prados de trébol, filas y pequeños bosques de eucaliptus, sauces al borde del Funza, rosas de Castilla, y cuanto nos llegó de España con las vacas, los perros, los caballos que van a conformar la ciudad y los campos coloniales, no lo columbró el conquistador ni en sueños. Cuando la fundación, lo que hoy son potreros, caseríos, caminos, casas de recreo, haciendas, y hasta cementerios campesinos... eran ciénagas, lagunas, pantanos... Se derramaba el río, se empantanaba la tierra. Sin llegar a ser del todo una laguna, desde el día en que Bochica abrió el boquete para el Tequendama. No faltaban, eso sí, las balsas de junco. Se pescaban *capitanes* en las lagunas y en el río, y en el barro se formaban colonias de cangrejos. Pudieron solazarse los recién llegados agregando a la nueva carta de la comida de papas y maíz, guapuchas asadas. Y curubas y uchuvas y mamones y uvas camaronas y mortiños de los montes vecinos... Lo más extraordinario en la fundación fue la llegada de las tres expediciones de sobrevivientes, cada una con el mismo número de aventureros. En estas diez mil varas cuadradas que conforman la Plaza de Bolívar, ha quedado el centro de cuanto ha ocurrido o en la colonia o en la república. El 6 de agosto de 1538 Jiménez de Quesada se apeó del caballo y arrancando unas yerbas y paseándose en la tierra dijo que tomaba la posesión de aquel sitio en nombre del emperador. Los doce bohíos dedicados a los doce apóstoles en realidad eran para las primeras casas, y cuando llegaron el Federman venido de Coro en el Caribe y el Belalcázar de Quito, comenzó a nacer la capital del Nuevo Reino y se vio dónde quedaría el templo que con el tiempo pasó a catedral. La ciudad fue en el inicio de bahareque y paja, para culminar con el tiempo en tapia y teja. El primero en sentar adobes fue Alonso de Olalla, de los que vinieron con Federman. "El fue el primero que la tuvo de tapias, aunque la cubierta de paja como las demás" (Fray Pedro Simón).

La figura central en la fundación es Jiménez de Quesada. Licenciado en Leyes, escritor, casi poeta. Se alzó contra el gobernador de Santa Marta en la asamblea de Tora —Magdalena arriba—, renunciando al nombramiento que le había hecho Fernández de Lugo y proponiendo la elección de un Capitán General a quien todos obedeciesen. Lo aclamaron. Lo eligió el común. De ahí en adelante sólo daría cuenta al rey. Su defensa de Carlos V en el *Antijovio* es un voluminoso libro, como ningún otro conquistador hizo ni se escribió luego en América. No le premiaron como a Cortés o Pizarro con marquesado, y murió después de otras dos expediciones quijotescas, sin haber fundado otra ciudad grande distinta de la capital del Nuevo Reino de Granada, reino éste que fue de su invención. He llegado a pensar que Cervantes tuvo en mente sus hazañas cuando escribió el Libro del Ingenioso Hidalgo...

Belalcázar se desligó de Pizarro y echando hacia el norte fue fundador de Quito, Pasto, Cali, Popayán... Poco menos que analfabeto, monta su grandeza en la vastedad de sus conquistas y fundaciones. Su paso por Santa Fe no dejó huella distinta del encuentro con Quesada y del regreso a España que hicieron juntos, con Nicolás de Federman.

Federman, como los otros alemanes llegados a Venezuela, no fue de los que fundan ciudades. Se movió, como Quesada o Belalcázar, atraído por el fantasma del Dorado. Escribió el libro de sus memorias que se editó en alemán. En Bogotá sólo se sabe de él que vino y se volvió...

Quesada fue nuestro hombre, nuestro primer escritor, el que compuso aquí, antes que nadie, libros, historias, sermones, ensayos. Sembró esta afición a las letras que ha hecho de la capital colombiana, si no la Atenas como algunos dicen, por lo menos el gran café literario de América. Con el absurdo de colocar la capital de su Nuevo Reino en el tope de los Andes, a distancia inmensa, sobre todo entonces, de los dos océanos, obligó a quienes vinieron a gobernarnos a mirar desde el interior y situados en una cumbre helada, la vasta extensión de una república, al punto que muchos de sus mandatarios han muerto sin haber conocido el mar. Este absurdo gracioso ha servido para que a lo largo de los caminos que de los océanos llegan al interior, surjan centenares de pueblos y ciudades que no pocas veces quieren emular, y a veces lo logran, con la ciudad que en la Colonia se llamó del águila negra, y ahora llaman de cachacos y orejones. Después de todo, Tierra Buena...

De Gabriel García Márquez

ASÍ ERA NUESTRA CIUDAD,

nublada y lluviosa, a solo 500 metros por debajo de las nieves perpetuas. Había una torre central, con un reloj, y una calle central cuyos transeúntes de paraguas al brazo vestían de colores oscuros, hablaban en voz muy baja y se iban a la cama a las ocho de la noche.

☐ Eramos, se decía, un millón de personas, que nos las arreglábamos de muchos modos para vivir. Teníamos una manera muy propia de estar alegres: los días de fiesta íbamos a misa, tocábamos campanas y quemábamos pólvora en los suburbios. Era la pirotecnia de la felicidad.

☐ ...en la mañana, había una hora que parecía puesta entre paréntesis en el tiempo: la hora del café. En el paralelo 5, a la misma altura en que los aborígenes de Nueva Guinea se alimentaban de carne humana y se fumaba opio en Singapur, hombres solemnes vestidos con demasiada corrección hablaban de un tema que en nuestra ciudad era siempre nuevo y siempre primitivo: la política.

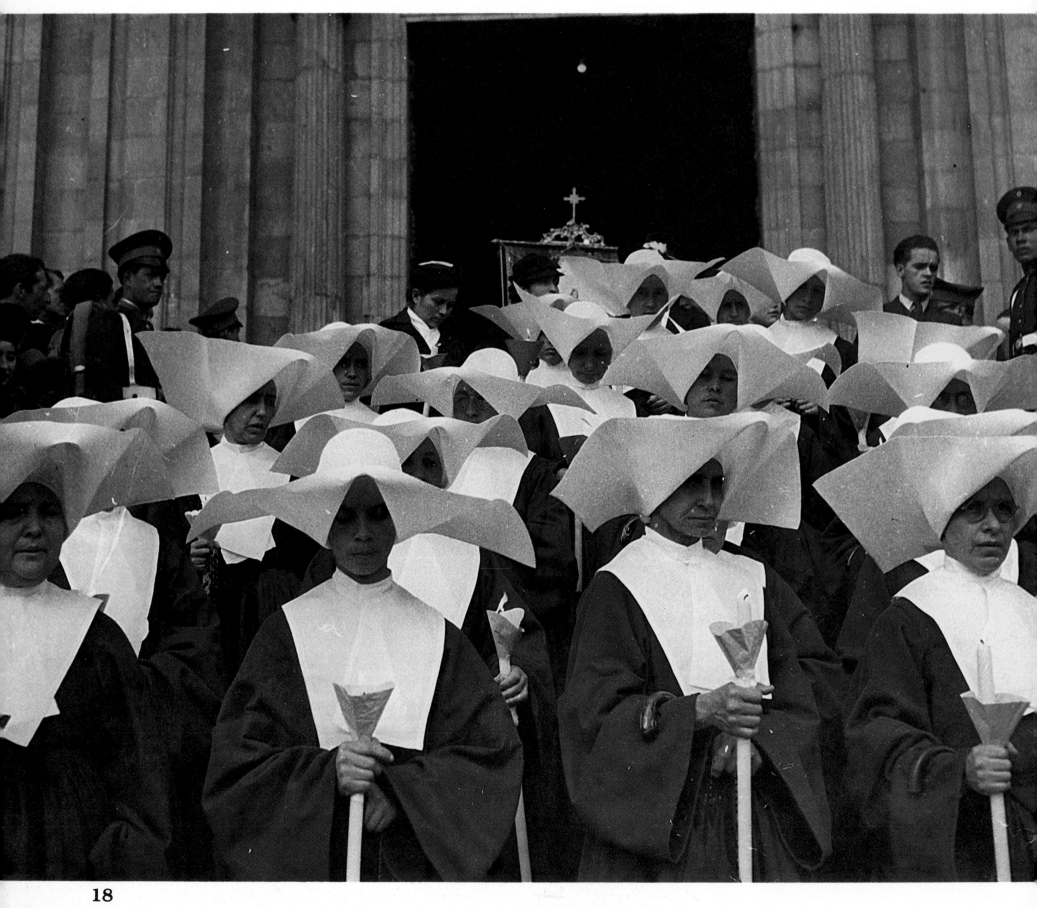

...como todos los habitantes
de las ciudades civilizadas de aquel
tiempo, nos preocupaba más la
actualidad que el futuro. Sabíamos,
con pocas horas de diferencia,
cuál era el punto de vista del canciller
de Pakistán. Creíamos en la letra
impresa, en el poder adquisitivo del
dinero y en la necesidad
del sueño. Nunca supimos si fue
ese nuestro mejor defecto o
nuestra peor virtud.

EL PODER
DE LA
IGLESIA

EL PODER
DEL
CONGRESO

Los sabios nos habían dicho: "Mirad los libros por fuera y conoceréis por dentro a la ciudad". Obedeciendo a esa enseñanza, habría podido descubrirse que el espíritu de la ciudad estaba hecho de versos sentimentales, de manuales de divulgación científica y de relatos de aventuras interplanetarias. Pero, a despecho del trascendentalismo de los sabios, era mejor la anécdota: un cliente que por deformación profesional miraba a hurtadillas la última página de una novela policíaca, para descubrir sin comprar el libro quién era el asesino.

...el lunes, una certidumbre nos llenaba de fortaleza: tarde o temprano volvería a ser domingo.

20

Había una cierta dureza en nuestra manera de progresar.
Lo hacíamos a saltos, sin estar muy seguros de dónde iríamos a caer.
Pero sólo así podíamos hacerlo, y así habíamos llegado a ser una ciudad moderna con el pasado a la vuelta de la esquina.
Ni siquiera nos sorprendíamos de que un día los niños nos preguntaran, perplejos, por qué se habían vuelto tan siniestros los bomberos.

Llovía de un modo cruel en nuestra ciudad. Uno podía pasar muchas horas frente a la ventana, en espera de que ocurriera algo, y nada se veía distinto de la lluvia. Pasados diez, veinte años, el espectáculo podía seguir siendo el mismo. Pero valía la pena esperar: tarde o temprano ocurría una cosa increíble.

22

PASAJE
A CINCO
CENTAVOS
—
RETRATO
PARA
LA NOVIA

Entonces, por un momento, éramos felices en el goce de la ociosidad: comíamos con las manos tendidos en la hierba, nos hacíamos tomar un retrato que por el resto de la vida nos sirviera de motivo para reírnos de nosotros mismos, dormíamos a la sombra de los árboles con la cara cubierta con un sombrero, nos moríamos de amores inverosímiles...

QUEDABAN
VETERANOS
DE LA ÚLTIMA
GUERRA
CIVIL

UN
AGUACATE
PARA EL
ALMUERZO

24

Al menos en una cosa
nuestra ciudad era igual a todas las
ciudades del mundo: en los
domingos vacíos e interminables.
Tratábamos, inútilmente, de
llenarlos con actos insignificantes...

Por no quedarnos solos en la
casa, salíamos en busca de
acompañamiento, y a veces éramos
felices un domingo a las tres
de la tarde, solos en medio de la
muchedumbre...

Creyendo que después de eso
sólo podía venir el diluvio,
podía cometerse el error de cerrar
la ventana. Habría dejado de
verse entonces una escena de cine
que en nuestra ciudad habría
resultado fantástica si hubiera sido
una escena de la vida real...

...y una escena de la vida real
que en el cine
habría sido fantástica.

28

"¡VIVA EL PARTIDO LIBERAL!"

UN ALCALDE EN TOROS

...durante muchos años los visitantes extranjeros anotaron en sus diarios una comprobación que año tras año habían registrado las estadísticas: había más hombres que mujeres en las calles. Pero nosotros nos dolíamos de que no existiera una estadística de la casualidad. Entonces hubiera podido comprobarse que en un instante fugaz y asombroso, pasó por las calles de la ciudad la mujer más bella del mundo.

© Gabriel García Márquez
"Colombia, País de Ciudades"
Bogotá - 1960. Ediciones Plinio Mendoza Neira

29

MEMORIA DE BOGOTÁ

Plinio Apuleyo Mendoza

De un modo u otro nuestras familias venían de provincia, salvo las de ellos, los bogotanos de verdad. Como en Francia un castillo pertenece a una familia desde tiempos inmemoriales, por el peso de la tradición, Bogotá pertenecía a apellidos tales como Holguín, Pombo, Urrutia, Nieto, Calderón, Carrizosa, Sanz de Santamaría, Uribe, Umaña, Caro, Caballero, Soto, Salazar, Vargas, Piedrahíta, Kopp, de Brigard y otros que fueron siempre la crema de su vida social.

En esta ciudad de familias tan arraigadas, los que llegábamos de otras partes (de Boyacá, del Tolima, de Caldas, del Valle o los Santanderes), todavía con el polvo de la carretera en las solapas, no podíamos ser sino advenedizos. Los bogotanos de pura cepa no se parecían a nadie en el país, salvo a ellos mismos y quizás a ciertos elegantes ingleses que uno veía en las películas. Rosada, saludable, su tez parecía encendida por el buen whisky y por el aire vivo de la sabana donde tenían casas de haciendas y mayordomos a los cuales sus padres les habían dado órdenes desde la altura de un caballo. Sus canas, cuando envejecían, no tenían, como las de nuestros abuelos de los páramos, el fatigado color de la ceniza, sino vigorosos reflejos de plata. Respiraban clase y prosperidad.

Vestían ellos admirablemente con trajes cortados en Londres, cuyas solapas se entorchaban con elegancia en vez de verse aplastadas y brillantes. Usaban sombreros *Look*, corbatas *Trembled* y paraguas *Brigg*, comprados donde los Pombo, los Vargas o los Ricaurte. Calzaban zapatos fabricados sobre medidas en Londres; zapatos que brillaban como espejos y olían a cuero nuevo, hechos para pisar las espesas alfombras del *Jockey Club* o del *Gun* y con algún escrúpulo la grama del Country Club los sábados o domingos.

No ocuparon ellos por mucho tiempo las casas de ladrillo que en un momento dado alzaron sus altos pórticos y sus mansardas en las inmediaciones del Parque Nacional o en el barrio de La Magdalena, pues apenas fue urbanizada la hacienda de don Pepe Sierra, edificaron casas en un estilo más moderno en la Cabrera y el Chicó. Ventanas amplias miraban a jardines muy verdes de grama bien cepillada, y en los jardines se alzaban árboles muy altos y los perros que acudían ladrando cuando uno llamaba a la puerta no eran los viles gozques que ladraban a los autos en nuestras carreteras de provincia, sino animales de raza, dignos de figurar en un grabado inglés. Dentro había también una atmósfera a la vez británica y otoñal. Ardían leños en una chimenea. Galgos y figuras de la Inglaterra victoriana en porcelana Royal Dolton o Weedgood adornaban mesas y repisas. Hasta el aire del crepúsculo parecía trémulo e inglés a la hora de tomar el té o de servirse un primer whisky.

Mujeres

Todo lo de ellos era distinto a lo nuestro. Si sus casas eran claras y abiertas al verde tierno de los jardines, las de todos los provincianos que venían a establecerse a Bogotá (primero por centenares, luego por miles y después por cientos de miles), en el centro o Chapinero, eran oscuras y húmedas. Ellos tenían rosas abriéndose en floreros de cristal tallado; nosotros, humildes tiestos de geranios. Ellos, en sus apartados barrios del norte, parecían tener el sol; nosotros, la lluvia gorgoteando en las canales de un patio. Ellos tenían domingos de viento y luz bajo los parasoles del Country Club y Los Lagartos; nosotros, la misa en La Veracruz, el matiné en el Apolo y de nuevo, a la salida, la lluvia desgajándose desde Monserrate. El color también era suyo. Estaba en sus ropas, en la vanidosa y feliz alianza del tabaco, del beige y del verde, del gris perla y el azul, del azul y el vino tinto, del violeta o el amarillo. En cambio, nuestras familias venidas de provincia seguían aferradas a los funerales paños oscuros que nos dejaron los leguleyos de Castilla. En nada esas fascinantes mujeres de la sociedad bogotana se parecían a las señoras de sastre negro y cartera de charol que componían nuestro paisaje femenino. En realidad, lo único semejante a esas bogotanas jóvenes de los años cuarenta eran algunas actrices de cine. Tenían algo de Gene Tierney o de Vivien Leigh en los ojos, en las pestañas, en el delicado trazo de la boca y la nariz. Usaban entonces bucles altos, zapatos de plataforma y unos sastres de hombreras enfáticas, y se enamoraban de Tyrone Power, de Robert Taylor y de Clark Gable como sus madres se habían enamorado de Valentino y de Gardel. Sus amores de la realidad, con muchachos bogotanos también de apellidos resplandecientes, se vivían en la atmósfera sentimental de los últimos tangos y de los grandes boleros de Agustín Lara y Elvira Ríos. "Mujer, si puedes tú con Dios hablar...", tocaban las orquestas en el Hotel Granada y en "La Reina", un cabaret de moda.

Como éramos niños aún, nunca fuimos a "La Reina", pero algo nos decía que en las penumbras de aquel cabaret y con la música de aquellos boleros se tejían y destejían amores y ardía de pronto, en la sociedad bogotana, algún escándalo: fulana había sido sorprendida besándose con el marido de la otra; a alguien le estaban poniendo los cuernos. Resultaban sin remedio inquietantes las muchachas que se hubiesen educado en París antes de la guerra. Eran demasiado libres, susurraban con reprobación las señoras. Ponían nerviosos a sus maridos diciendo cosas atrevidas. O bailaban muy pegadas. Parecían francesas.

Ante la blindada virtud de las muchachas bien, aquellos bogotanos vivían las aventuras del sexo como conspiradores con bellas mujeres de vida alegre. En cada generación, había una que hacía época. Nadie sabía cómo, de dónde surgían, pero allí estaban, reinando a su manera en la ciudad, con su excitante sabiduría en el manejo de los hombres. Eran espléndidas amantes. Personajes públicos y muchachos de buena familia eran quemados por su encanto

con la ferocidad de la pólvora viva. Se convertían en leyenda. Enemistaban políticos. Futuros presidentes llorarían de celos por ellas, cuando eran jóvenes bohemios. En sus fiestas libertinas, algún tribuno memorable se habría disfrazado de emperador romano con una sábana. Había hombres que se alcoholizaban por su culpa o perdían toda su fortuna. O se pegaban un tiro. Desde las Ibáñez, siempre hubo en Bogotá mujeres terribles antes que todo cambiara y en las nuevas generaciones todas lo fueran.

Además de ellas, había las cantantes de las compañías españolas de zarzuela que pasaban por el Teatro Colón. Invariablemente tenían ojos verdes y un lunar pintado con lápiz en el mentón y otro en una latitud incierta, al norte de la rodilla, que sólo era descubierto con ayuda de binóculos desde la platea cuando su dueña levantaba coquetamente las enaguas cantando "María Fernanda". Detrás del par de lunares se iba siempre, encandilado, un muchacho de buena familia, que sus padres atrapaban a tiempo cuando se disponía a tomar el barco en Buenaventura para seguir en su gira a la que las señoras bogotanas llamaban despectivamente "una cómica".

Dos Mundos

Yo no habría conocido a bogotanos de estas viejas y auténticas dinastías de la ciudad, si mi papá no se hubiese casado por segunda vez con una bella muchacha que pertenecía a una de esas familias y que estaba de algún modo em-

parentada con las otras. Allí, en aquel mundo, quedó incrustado él, mi padre, con esa fácil y alegre permeabilidad que le permitía también alternar con los campesinos de su aldea de los páramos. De este modo, a lo largo de la infancia, y sin dejar de pertenecer al mundo provinciano de mis tías boyacenses, pude en incontables sábados y domingos verlos, oírlos y observarlos a ellos, hombres y mujeres de brillantes apellidos bogotanos.

Pero necesitaría una novela para escribir todo aquello. En aquel mundo de Holguines, Nietos, Pombos, Umañas, Bordas, Calderones, Carrizosas, Urrutias, Salazares, etc., que yo oía mencionar, quedaba el recuerdo de algún abuelo, padre o tío calavera que había quemado fortunas en Europa, jugando a la ruleta o lavando caballos en champaña. Calavera y todo, decían, era una lámina de hombre y un caballero, un señor. "Pobre Ernestina, exclamaban (o Carolina, Etelvina, Josefina, nombre seguido siempre por uno de esos apellidos), cuando quedaron en la ruina tuvo que pasar las duras y las maduras para levantar a los hijos".

Había tierras detrás de cada apellido. Memoria de vastas propiedades en la sabana, casas en la Calle Real, haciendas en Cundinamarca y en el Tolima; memoria de paseos y cacerías; de vajillas y manteles traídos de Europa; de domingos en el Hipódromo de La Magdalena, navidades en Serrezuela o Peñalisa; viajes a Londres, consulados en Amberes o Bruselas. Desgracias: alguna tía que se quedó soltera, o se metió de monja, con el más precioso traje de novia nunca visto en etamina suiza, con encaje de bolillo y cintas de satín en el armario porque el novio había muerto trágicamente, en una cacería o cruzando un río, en vísperas de la boda.

Alguien se había pegado un tiro al descubrirse en la ruina. Según aquel código de valores heredado desde los tiempos coloniales, el apellido y los modales determinaban ser un señor o su opuesto, un don Nadie. Con esta valoración poco tenían que ver el talento, el dinero en sí o los cargos públicos, pues para mi gran sorpresa un don Nadie podía ser un industrial, un escritor o hasta el propio Presidente de la República. "Su abuelo fue cochero de papá Eusebio", oía decir yo de pronto de alguien, como una sentencia inapelable. Me fascinaba este orden de valores tan distinto al de mis pobres tías de provincia. Cada sábado o domingo me sumergía como tímido espectador en esta atmósfera de alcurnias bogotanas, de hombres y mujeres vestidos con una deportiva elegancia, como si viniesen de un partido de polo, que jugaban al bridge o a la canasta, bebían whisky, respiraban buena salud y prosperidad y hablaban de un Bogotá que era enteramente suyo desde generaciones inmemoriales.

La nuestra, la Bogotá de las tías que nos criaron y de sus infinitos parientes emigrados de Boyacá, era otra. Todos ellos representaban otra clase, más modesta: la llamada gente decente de provincia asimilada a una mediana o pequeña burguesía urbana. Siempre vestidos con su triste decoro de paños oscuros, abogados o empleados en Ministerios y otras dependencias oficiales, con un sombrero que se quitaban respetuosamente para saludar o entrar en un ascensor, viajaban en tranvía, compraban un aguacate para el almuerzo, tomaban onces con chocolate y almojábanas, reían con las comedias de Campitos o de Luis Enrique Osorio en el Municipal, eran devotos de las ventosas, los parches porosos y el jarabe yodotánico, leían a Calibán, Selecciones o el Almanaque Brístol, seguían en *El Espectador* las crónicas folletinescas sobre "El misterio del baúl escarlata", los crímenes del doctor Mata y las pesquisas de un famoso detective llamado "Chocolate", y escuchaban a las siete de la noche el radioperiódico "Últimas Noticias" cuyo director,

Rómulo Guzmán, alternaba sarcásticas diatribas contra Gabriel Turbay con cuñas tales como "Cutilina no mancha, Cutilina no pica, Cutilina la rasquiña elimina".

Este mundo honesto y riguroso de la clase media tenía una verdadera pasión por los entierros, los reumatismos, las dolencias de riñón o vesícula y vivía bajo el temor de perder un empleo. "El Molino" o "El Gato Negro" eran el modelo de esos cafés oscuros y malolientes del centro donde los hombres pasaban horas hablando incansablemente de Santos, de López, de Laureano, del asesinato de Mamatoco, luego de Gaitán y de Turbay, y en toda oportunidad de la inevitable convención liberal en ciernes. "La Cigarra", en la esquina de la Calle Catorce con la Carrera Séptima, era un hervidero de chismes políticos. Los domingos se oía en la radio "La hora costeña", que duraba varias horas tocando los porros de Galán y Lucho Bermúdez. Se iba a escuchar la retreta en el parque de la Independencia o, como ocurre todavía, a comer papas chorreadas por los lados de Usaquén, a toros o a fútbol, y el partido Santa Fe - Millonarios era desde entonces un clásico.

Con sus tranvías, sus hombres correctamente vestidos de oscuro y la austera fachada del Hotel Granada alzándose a un costado del Parque Santander, con las fuentes de la Plaza de Bolívar y las viejas casas de balcón y aleros de la Calle Real, el centro de Bogotá tenía una caricatural dignidad de ciudad de provincia europea. Las rígidas jerarquías sociales se expresaban en el paisaje urbano. El norte era clase alta, el centro clase media, el sur popular, todo de una manera muy delimitada.

Lava Ardiente

La clase popular daba un personaje de rolo picaresco, mezcla de vivacidad española y astucia, malicia y plasticidad indígena sedimentada durante siglos, cuyo mejor exponente fue por mucho tiempo un vendedor de lotería, amigo de políticos y abogados que caminaban de prisa por la Calle Catorce o la Séptima, llamado "Caretigre". Siempre estaba por los lados de *El Tiempo*, quitándose ostentosamente la gorra ante un personaje y comentándole sus actuaciones con un malévolo y divertido irrespeto, con el fin de venderle un billete de lotería. Obreros, tranviarios, loteros, limpiabotas, vendeperiódicos, zorreros, choferes de taxi que vivían en Las Cruces, San Cristóbal, San Fernando, el Ricaurte, La Perseverancia, Puente Aranda o el tenebroso Paseo de Bolívar en las estribaciones de los cerros donde reinaba Papá Fidel, se parecían a "Caretigre". Bebían todavía chicha, "pita" o guarapo y hablaban con denso sarcasmo. Liberal

por tradición, ese pueblo formaría lo que se llamó primero la "chusma" lopista y luego "la chusma gaitanista".

Algo debió cambiar en ese subsuelo social de la ciudad en los años cuarenta. Por allí empezó a correr lava ardiente. El dócil pueblo de ruana y sombreros de jipa que en otro tiempo arriaba mulas por las calles empedradas o traía a las casas botellones de agua del Chorro de Padilla, con una sumisión que era la misma de los peones de fincas y haciendas, fue transformándose en una clase marginal y explosiva. Con conciencia propia, dirían los marxistas. O quizás encontró al fin quién expresara en esos años lo suyo con su misma mezcla hirviente de sorna, ira, humor y malicia. Era un hombre con la trayectoria cultural y política de los de arriba pero parecido a ellos. Hablaba con su mismo acento. Tenía el mismo pelo espeso y lacio, la boca grande y amarga, la misma cólera visceral por los desdenes sufridos y una garganta metálica que delante de un micrófono hacía correr un frío por la espina dorsal. Comunicaba su pasión a quien lo oyera.

Responsabilizando a una oligarquía (expresión venida de los griegos que entró el argot popular bogotano) de la miseria popular, Gaitán corrió la alfombra sobre la que se había alzado el orden de una sociedad tradicionalmente fijada en jerarquías rotundas, antiguas y hasta entonces aceptadas por todos, incluyendo al propio pueblo. Allí, en aquel momento, se quebró, quizás inevitable y justificadamente, ese orden, pero nada, por desgracia, ha logrado sustituirlo en profundidad desde entonces. Empezó a morir un país: pacífico, clasista, con instituciones sólidas y una prestigiosa clase dirigente. Nació otro, traumático, violento: el actual.

El fin de algo

Pocos, según parece, prestan atención a los gruñidos subterráneos, los olores de azufre, las cenizas revoloteando en el viento que preceden y anuncian un terremoto. Lo mismo ocurre con los movimientos sísmicos de una sociedad. Jamás fueron más rutilantes las fiestas en Versalles, ni más ostentosa la nobleza, que al aproximarse 1789. En nuestra modestísima escala, algo similar sucedía a medida que avanzaban aquellos años cuarenta. Los propios historiadores lo han olvidado a veces, interesados en describir la violencia como el resultado de una pugna ancestral entre los dos partidos. En realidad, hubo entonces algo más profundo: una virtual lucha de clases.

La voz colérica que todos los viernes desde el escenario del Teatro Municipal sacudía al pueblo, en el alto mundo bogo-

34

tano no producía sino comentarios pintorescos y a veces algo de irritación. Se hacían chistes sobre "Forfe" Eliécer. Se le veía como un "lobo", un resentido, a quien años atrás se le había negado la entrada al Jockey Club. Era molesto que por su culpa las criadas se volvieran respondonas y los choferes mal educados. Los propios camareros del *Gun Club* ponían de mala manera los platos sobre la mesa. "El indio que me trajo en el taxi no quiso bajarse para abrirme la puerta", comentaba enfurecido un caballero bogotano de frondosas cejas blancas. Los cocheros lo hacían con su padre. Pero·los taxistas de hoy no eran tan respetuosos. Gaitán los estaba alebrestando.

Cambiaban los tiempos. Cambiaban por fuera, pero dentro de este mundo bogotano la vida tenía la elegante y alegre despreocupación de otros días. Se jugaba al bridge y a la canasta. Se bebía whisky de buena marca contando chismes picarescos. Domingos radiantes se abrían sobre los campos de golf. Subían las acciones en la bolsa. Se hacían negocios fáciles y brillantes con la finca raíz y las licencias de importación. Comidas y fiestas terminaban en "La Reina". Ahora las orquestas alternaban los boleros de Lara y Elvira Ríos con música de la Costa y un nuevo baile, el botecito. "La Múcura" hacía furor. Había un nuevo bolero: "Una mujer debe ser soñadora, coqueta y ardiente...". Coqueta y ardiente —pero con mucha clase— era cierta dama de sociedad, que había doblado el cabo de los treinta años y fijaba su atención en los muchachos con mundana desenvoltura. Flotaba en torno a ella una atmósfera excitante. Aquel era el mundo de "Los Elegidos". Al autor de esa novela se le veía entonces como un joven elegante y tímido que llegaba a la redacción de *El Liberal* siempre con extrañas teorías. "Hijo de Alfonso", decían los viejos. "Alfonsito", decían las señoras. Entre tanto la voz colérica seguía resonando en todas partes. La oían con respeto, todos los viernes por radio, los hombres que formaban esa vasta clase media de cafés y tranvías. La chusma de los barrios populares se estrujaba, por su parte, en la platea, el palco y los vestíbulos del Teatro Municipal, llenaba la Calle 10 y la Carrera Octava y las tiendas, olorosas a chicha y a velas de sebo, de todo aquel sector, para escuchar aquella voz prodigiosa que clamaba contra "Los ricos cada vez más ricos mientras los pobres eran más pobres". En todo el ámbito de la ciudad resonaban las ovaciones. Al terminar el discurso, la multitud invadía la Plaza de Bolívar y se encajonaba por la Calle Real, rugiente, turbulento río de sombreros negros y caras frenéticas alzando puños al compás del grito "Gaitán sí, otro no". Al llegar a la Avenida Jiménez saltaban en añicos los vidrios de *El*

el resplandor de los incendios como una ciudad bombardeada? ¿Habrían soñado que aquellos espejos y arañas serían rotos, rasgadas las cortinas, las sillas de raso llevadas a cuevas y tugurios y la champaña bebida a pico de botella por hordas de desharrapados?

Aquel día

Fue aquel día, 9 de abril. A la una, el hombre pequeño, mal vestido y sin afeitar, apostado en la puerta del café "El Gato Negro", cruzó la Séptima. Se detuvo antes de llegar al otro andén. Sacó tranquilamente un revólver. Disparó tres veces provocando pánico en la calle. Frente al edificio Agustín Nieto, cayó un señor de abrigo oscuro y sombrero. Minutos después, cuando se supo que aquel señor era Gaitán, el volcán estalló. Como lava del subsuelo, surgieron de todas partes enjambres de hombres enloquecidos blandiendo machetes y banderas rojas, y todo a su paso ardió, casas y tranvías, y todo fue saqueado, destruido. Al día siguiente no había en el centro sino escombros, olor a aguardiente derramado, a hierros quemados, a piedra calcinada y centenares de cadáveres mojándose en la lluvia, y la lluvia disolviendo los charcos de sangre.

Tiempo con las primeras piedras. Elegantes bogotanos que salían al día siguiente de una junta bancaria, en el centro, encontraban odio y sorna en las miradas de loteros y limpiabotas. A veces, éstos escupían a su lado. "Oligarca", decían. Era un insulto, el peor.

El país, pero especialmente su capital, tenía algo de volcán humeante. El accidente electoral que en 1946 llevó a un conservador de notables apellidos al poder, iría a convertir en explosiva polarización política lo que era ya una aguda polarización social. Había por primera vez un país partido vertical y horizontalmente. Olía el aire a azufre, volaban cenizas... Los signos eran claros.

Bochinche, se decía arriba. Nunca fue más fastuosa que entonces la vida social de Bogotá. Con motivo de la IX Conferencia Panamericana, próxima a reunirse en Bogotá, se abrió en las faldas de Guadalupe un restaurante llamado "El Venado de Oro". Vino un príncipe ruso. Fiestas locas chisporrotearon en su honor; tan locas, que en una de ellas, la última, precisamente en "El Venado de Oro", alguien pasado de tragos le rompió una botella en la cabeza al príncipe. Aquellas señoras de traje largo y tapado de piel, aquellos hombres en frac, ¿podrían imaginar que una semana después la pacífica ciudad extendida al pie del cerro ardería con

36

Para mí, quizás para otros muchos, una Bogotá desapareció aquel día. La nuestra. Nació otra, probablemente, que no era ya la tranquila, soñolienta y provinciana ciudad que por cinco centavos recorríamos en un tranvía. Esa había sido durante siglos una ciudad virreinal de tertulias y chascarrillos, de leguleyos, de poetas, de oradores, de obispos que tomaban chocolate, de elegantes vestidos a la moda de Londres y en su era republicana, de Presidentes que llegaban al poder caminando por la Calle Real, con un sombrero de copa en la mano, y señoras con pieles y hombres de saco levita a su lado. "Aquí nunca pasa nada", se quejaba la gente fastidiada de tanta paz en el aire, de tanta abeja zumbando en la luz de unos geranios y tanta campana llamando a rosario en los crepúsculos.

El único temor que asaltó alguna vez a mis tías fue el de que los gases de la guerra (pero las pobres no sabían que en esa guerra, la segunda, ya no había gases) llegaran a Bogotá y mataran a sus canarios. Hubo, es cierto, la tragedia de Santa Ana, cuando en una revista aérea un avión envuelto en llamas cayó en la tribuna. Oímos un vértigo de sirenas de ambulancias y bomberos por la Séptima y en la radio la lista de los primeros muertos. Pero eso muy pronto se olvidó, y volvimos a nuestros tranvías bamboleantes en las neblinosas mañanas con el sol atravesando tímidamente la niebla sin quitarnos el frío. Volvimos a las retretas del domingo, a los parques donde se retrataban con timidez policías y sirvientas, a las misas de La Porciúncula o La Veracruz, a las empanadas rociadas con limón en el "Tout va bien" sobre mesas que parecían robles cortados. Años más tarde allí habría un juego de bolos, por las épocas en que bebimos la primera cerveza y fumamos el primer cigarrillo y nos enamoramos todos de Ingrid Bergman.

Creímos tontamente, porque éramos muy jóvenes, que Bogotá sería siempre así, y que en "La Reina" y el Hotel Granada las orquestas continuarían eternamente tocando los mismos boleros sentimentales y los políticos cambiando chismes en la puerta de "La Cigarra", pero todo ello desapareció en las llamas de la revuelta y nada después fue igual a esos tiempos.

Nos fuimos, y algunos como yo, por años que abarcaron buena parte de su vida. Volvimos a una ciudad distinta, llamada también Bogotá, amenazante y enorme. Celadores armados y sistemas de alarma en cada ventana protegerían los barrios del norte. Guardaespaldas acompañarían a los ricos a donde fuesen. Emergentes de todo pelo se apoderarían con voracidad de muchas actividades y negocios, movidos por el afán de hacer dinero a cualquier precio. Todo el inmenso país que llegó a sentirse inseguro en los campos

37

por la guerrilla, el boleteo o la miseria se desplomaría sobre la capital. La clase marginal invadiría el centro con toda suerte de ventas y tenderetes, acosada por el hambre. El centro por donde hombres y mujeres austeramente vestidos caminaban en otro tiempo a la salida de cine con un pañuelo en la boca para no resfriarse, se cubriría de un venenoso mundo nocturno, de hampones, vendedores de droga, limosneros y travestistas.

Dentro de esta ciudad, que sus padres, abuelos y bisabuelos la tuvieron como suya sin temerle a nada, seguros, refinados, atendidos siempre por el lustre de sus buenos apellidos, los bogotanos de vieja cepa acabarían viéndose a sí mismos como exiliados o sobrevivientes. Fin de raza o dinastía, no advertirían detrás de tanta turbulencia, lo otro. Es decir, la fuerza secreta de esos nuevos bogotanos sin pasado, muchos de ellos hijos de tolimenses, boyacenses, santandereanos, vallunos, antioqueños o costeños; su voluntad creadora, su desgarradora ansiedad de encontrar un camino, de desafiar los retos de un destino nada fácil. La Bogotá de ellos es otra. Dura. Vibrante. Avida. Otra, sí. A ellos he querido contarles cómo era la mía, la que se fue en llamas aquel día de abril.

Bogotá
1988

La Candelaria

El Camarín del Carmen: una calle de 1655.

40

*Plazuela de San Carlos,
frente a la iglesia de
San Ignacio, con la
estatua del filólogo
Rufino José Cuervo.
Está rodeada de casonas
del siglo XVII.
En la del fondo, imprimió
Nariño* Los Derechos del
Hombre *en 1793.*

Escribió Germán Téllez, con la lucidez y ecuanimidad que caracterizan sus juicios, que la arquitectura colonial de la Nueva Granada careció de la grandeza que ostenta la de México, Buenos Aires o Lima, por múltiples razones. Así, la Colonia nos legó una expresión arquitectónica sencilla y de apariencia provinciana, exenta de sofisticación en su epidermis. "Pero ¡cuidado! —advierte Téllez—. Es española. Su alma está llena de sutilezas y meandros". Eso es el barrio La Candelaria de Bogotá: un trasunto de arquitectura española, de líneas llanas, como la andaluza, pero

cargada de esguinces sorprendentes. No falta un recodo amable en su severa austeridad, ni un detalle plácido en sus patios cuadrados, sus largos zaguanes, sus paredes lisas, sus puertas y ventanas que apenas si se permiten algún adorno en la madera o en el hierro. Representa las virtudes y las flaquezas de la mentalidad urbanística hispana que se desenvolvió en el Nuevo Reino. Fue el núcleo de una aldea que con los siglos se expandió a metrópoli, y por lo tanto encierra las claves para desentrañar el pasado de la ciudad y sus conexiones con el presente. Todo esto convierte el sector en un patrimonio colectivo.

En La Candelaria vivieron los virreyes, los obispos y los señores, que construyeron sus palacios, iglesias y moradas lo mejor que pudieron, con precarios materiales españoles o nativos. Luego los vientos republicanos incrustaron en el barrio edificaciones de inspiración italiana, francesa o inglesa, para albergar a los presidentes y a la naciente burguesía local, y casi siempre se logró una curiosa armonización de los diferentes estilos. De esta manera dentro de La Candelaria se escribió en el pasado, y se sigue escribiendo en el presente, la historia oficial de Colombia.

Pero la importancia de este antiguo contorno sólo se empezó a reconocer en 1963 y se concretó veinte años después. En 1971 la Alcaldía expidió normas precisas para protegerlo, y en 1980 el Concejo creó la Corporación La Candelaria, entidad que inició labores en 1982.

La Corporación La Candelaria enfocó la tarea de recuperar y revitalizar dicho sector, bajo unos términos dinámicos, es decir, sin pretender aislarlo del proceso normal de desarrollo del resto de ciudad que lo rodea, para evitar que aquel se convierta en una zona de museo. En forma directa ha restaurado edificaciones de diversas épocas y ejecutado obras que no existían, como parques y escenarios deportivos para la población infantil, y esta labor, aunque data de pocos años, ha servido ya para generar un interés creciente por la vieja arquitectura, detener el agudo proceso de deterioro, del espacio público y, paralelamente, frenar la desvalorización de todas las estructuras arquitectónicas. Son éstos los primeros pasos hacia la preservación definitiva de un patrimonio nacional que durante siglos permaneció desprotegido.

Actual Museo de Desarrollo Urbano, en un declive de la Calle 10. Posee los primeros planos de la ciudad elaborados en la Colonia.

Carrera 6a. con calle 14: simetría de balcones y puertas.

Evocación de Cartagena en esta casa embalconada de la carrera 8a. con calles 11 y 12.

Esta encantadora estampa empieza en los balcones azules de la Casa de los Comuneros y termina en la espadaña de la iglesia de Santa Clara (Carrera 8a. entre calles 9 y 10).

Una joya que perpetúa los recuerdos de principios de siglo (Casa de los Comuneros, en una esquina de la Plaza de Bolívar). Fue felizmente restaurada por la Corporación Barrio La Candelaria.

Casa de la Moneda, en la Calle 11. Sus hornos se encendieron por primera vez en 1627 para acuñar monedas de oro y plata.
Fue remodelada en 1756.
Aloja el Museo de Numismática.

La austeridad de piedra de la iglesia del Carmen y el Colegio Salesiano León XIII (Carrera 5a., calles 8 y 9).

*C*uatro casonas de La Candelaria, que habitaban los franciscanos y las Siervas del Sagrado Corazón de Jesús, fueron restauradas con respeto de sus valores arquitectónicos e históricos por la firma Our Bags que produce los artículos de Boots'n Bags.

*L*a Casa de Silva (abajo), donde vivió el trágico poeta del "Nocturno", recientemente transformada en la Casa de Poesía, que cuenta con 4.000 volúmenes y varias salas (de lectura, auditorio y fonoteca), así como pertenencias y retratos de poetas colombianos.

A la izquierda, la Fundación Gilberto Alzate Avendaño.

Calle de la Fatiga o Calle 10 y atrio de la iglesia de San Ignacio.

Casa sede de la Corporación La Candelaria (abajo).

Un marco tradicional para la Sociedad Económica de Amigos del País.

Interior de la casa del comerciante español José González Llorente, en la plaza de Bolívar, llamada Casa del Florero o Museo del 20 de Julio y recientemente remodelada.

*C*olegio Mayor de Nuestra Señora del
Rosario, fundado en 1643. En sus
aulas inauguró José Celestino Mutis
la cátedra de la ciencia en Colombia,
con las revolucionarias teorías
de Darwin, las matemáticas, la astronomía
y la botánica, y forjó la primera
generación ilustrada del país.

*E*n los techos y muros del Rosario
pintaron los mejores artistas de la Colonia,
como Gaspar de Figueroa y
Gregorio Vásquez de Arce y Ceballos.

*P*alacio de San Carlos.
Inicialmente hubo allí una
residencia particular, luego
funcionó el Colegio de
San Bartolomé y después la Real
Biblioteca Pública de Santa Fe.
En 1824, al cabo de sustanciales
reformas, lo estrenó Bolívar
como casa presidencial.
La noche del 25 de septiembre
de 1828 le salvó la vida
Manuelita Sáenz, al hacerlo
saltar por un balcón y
enfrentar ella a un grupo
de conspiradores.

*E*l Palacio de San Carlos fue
ocupado por los presidentes de
Colombia hasta principios de este
siglo, cuando pasó a ser sede de la
Cancillería. Después del 9 de abril
recobró su destino presidencial.
El juego sigue: ahora es de
nuevo asiento de la Cancillería.

El Coliseo del señor Josef Tomás
Ramírez se inauguró con
pompa y circunstancia el 27 de
octubre de 1793, y a sus
espectáculos asistía alelada la
sociedad santafereña. En
1840 lo adquirieron los hermanos
Maldonado y lo engrandecieron
con tres órdenes de palcos, y festones
y una gran araña de hojalata.
Finalmente, con dineros del gobierno,
planos del arquitecto
Pietro Cantini y decorados de varios
escultores italianos, entre
1885 y 1895 emergió el Teatro Colón.
Este ha sido siempre el
escenario número uno de Colombia.
Desde hace varias décadas
la Orquesta Sinfónica de Colombia
permanece como agrupación
estable del Teatro Colón. Pronto
empezará un concierto.

*M*useo del 20 de Julio: esquina de la
plaza de Bolívar en la que empezó
la independencia nacional en 1810 por un
insulto, al parecer premeditado,
contra el chapetón González Llorente.

*C*asa de la Moneda

Casa del Marqués de San Jorge, edificada a mediados del siglo XVIII por Don Jorge Lozano de Peralta, quizás la mansión residencial más importante del período colonial en Santa Fe. El Banco Popular asumió su restauración y conservación y montó allí el Museo Arqueológico, invaluable colección de cerámica precolombina y de arte y muebles de la Colonia.

La cuadrícula española, que enriqueció a La Candelaria, permitía estos ángulos. Arriba el Museo de Desarrollo Urbano, y abajo el Museo de Arte Colonial.

En esta casa de finales del siglo pasado, en la que se
destaca el arte decorativo sobre la madera, la
restauración y conservación corrió a cargo del Fondo
Cultural Cafetero. Este instaló allí el Museo del Siglo
XIX, que abarca vestuario, muebles, arte y
costumbres de esa centuria, y opera además como
centro de actividades culturales.

El Libertador fue, durante mucho tiempo, el más importante vecino del barrio La Candelaria. En 1820 el gobierno de Santander le obsequió una casa típica sabanera al pie de Monserrate, y él la habitó en diferentes ocasiones junto con la mujer de su vida, Manuelita Sáenz. Hoy, convertida en la Quinta y Museo de Bolívar, preserva innumerables documentos y objetos del prócer americano. Contigua a la Quinta queda la Sociedad Bolivariana de Colombia (página opuesta), fundada en 1924.

DE ALDEA A CIUDAD

Jacques Mosseri

"La ciudad está construida en las faldas de las dos altas montañas que tiene atrás, y sobre la amplia llanura a que da frente; forma así una especie de anfiteatro".

C. A. Oselmann, 1825

Dividir el desarrollo urbanístico y arquitectónico de una ciudad en períodos definidos, siguiendo los modelos y la metodología del análisis histórico-académico, es un error en el que se cae sistemáticamente y que puede conducir a arbitrariedades. Sin embargo, en el análisis histórico existen hechos y acontecimientos sociopolíticos que marcan un viraje importante, definitorio de una época, de un comienzo o un final. En la historia de la ciudad, estos mismos hechos no alteran sensiblemente, o por lo menos nunca a corto o mediano plazo, la morfología de la urbe.

A partir de la conquista española, cuando Quesada mandó construir doce chozas pajizas y una pequeña iglesia de madera y barro, se inicia un proceso cultural lento y largo, jalonado por una constante pérdida del pasado autóctono. Fun-

dada en 1538, Bogotá tenía en su iniciación una población conformada principalmente por aquellos indios chibchas que encontraron los españoles en el territorio de la Sabana, en condiciones nunca completamente aclaradas. En 1812, según investigaciones históricas, alcanza ya 20.000 habitantes, y desde ahí hasta 1880, fecha de la Independencia e iniciación del período republicano, crece a los 70.000 habitantes. Cuando hacia 1830 la ciudad se muestra estructurada alrededor del centro histórico, con la Plaza de Bolívar como centro focal, empieza a precisar lo que será su disposición general y su principal característica: un crecimiento longitudinal, propiciado por la instalación del modesto tranvía de mulas, que parece empujar el volumen del grupo habitacional desde un poco más de 100.000 personas en 1910, hasta 330.000 en 1938. De aquella "gran aldea", como la calificara Hernando Téllez por entonces, la ciudad pasa, en 50 años, a sus casi 6 millones de habitantes de hoy.

En los 400 años anteriores a 1938, la ciudad colonial evolucionó muy lentamente, para ir pasando de la localidad limitada como un recinto, encerrada en sus calles y en opuesto contraste con el campo circundante, a la ciudad lineal que buscó escapes al norte y sur, guiada por claras determinantes geográficas. Su aspecto fue cambiando así, tranquilamente, y lo colonial se mezcló imperceptiblemente con lo llamado republicano, que muchas veces se superpuso a las formas coloniales o las reemplazó. No hubo sin embargo mayores traumatismos, y el estilo de vida desembocó en esa ciudad afrancesada, neoclasicista, extremadamente sorprendente e inusitada de los años veintes, aunque conservando aquel aspecto que Miguel Cané describía en 1882 como de calles estrechas y rectas, casas bajas techadas con teja y balcones de madera, que evocaban a Córdoba y lo hacían transportarse mágicamente a la España del tiempo de Cervantes.

Pero son sólo aquellas determinaciones que repercuten en lo real y físico de la sociedad, las que dan un viraje definitivo a la estructura urbana de la ciudad. Así el tranvía de mulas, inaugurado en 1884, rompe el tejido urbano de herencia e impronta colonial y proyecta la ciudad hacia afuera, con una especie de compulsión que responde al crecimiento mismo de la sociedad, tal como lo describe Carlos Martínez en "Bogotá. Sinopsis sobre su evolución urbana". "Llegaba el tranvía entonces —escribe— hasta la Plaza de Chapinero, y al sur, por la Carrera 7a., hasta la Plaza de las Cruces o límite del área urbanizada en aquel año; hacia occidente corrían los carros hasta el cementerio, llegaban a las estaciones del norte y de la Sabana, y continuaban por la Calle 13 hasta la Carrera 20, o extremo occidental de la ciudad".

Elevado al poder Alfonso López Pumarejo, entre 1934 y 1938, se toman decisiones trascendentales en cuanto a la modernización del país y de la ciudad. En Bogotá el cambio repercute en la creación de la Ciudad Universitaria, al norocidente, que trae como consecuencia la explosión definitiva de la ciudad hacia sus alrededores. El proceso que sigue a estos años es tan acelerado como el crecimiento mismo de la población, lo que obedece, a su vez, a aspectos coyunturales político-sociales del país, que convertirían a Bogotá en el receptáculo de la mayor migración del campo a la ciudad que haya registrado Colombia en su historia.

Los primeros barrios que surgen por fuera del casco urbano tradicional, como el Bosque Izquierdo, La Merced, Teusaquillo, representan un tipo de ciudad ya radicalmente diferente. La calle estrecha es reemplazada por avenidas amplias y arborizadas, circundadas por antejardines, que por primera vez hacen su aparición en el ambiente urbano. En el sector céntrico las viejas estructuras son también reemplazadas por los primeros edificios de altura. Pero aquí surge un fenómeno que diferencia a Bogotá de otras ciudades americanas, y que fuera ya detectado en 1823 por G. Mollien cuando dice: "Los arquitectos de Santa Fe siempre tendrán un pretexto para justificar la deformidad de sus edificaciones, y es que la constitución del suelo, con frecuencia sacudido por los temblores, les obliga a sacrificar la elegancia en aras de la solidez; por esta causa, todas las casas no son altas, a pesar de que sus paredes son de un espesor prodigioso". Pasarían así varias décadas antes que la técnica de la construcción evolucionara lo suficiente como para permitir edificaciones que superaran los cinco o seis pisos.

Hoy en día, a pesar del enorme crecimiento de las otras ciudades importantes del país, Bogotá sigue siendo y representando la síntesis en materia de progreso. Limitada al oriente por la cadena de montañas y al occidente por el río Bogotá, su forma se debate entre la apariencia pueblerina conservada de su pasado, y la imagen internacionalizada de una ciudad pujante y dinámica que no sabe qué rumbo tomar. Por un lado se planifica, se establece un perímetro urbano, se estructura con base en anillos concéntricos que pretenden contener de manera organizada su inevitable crecimiento. Y por el otro se construye día a día, de modo espontáneo y horizontal, una ciudad que depende de su economía informal y que tiene mucho más que ver con las formas tradicionales del desarrollo. Conviven así en la misma ciudad los estilos más primitivos de la aldea rural de calles y tiendas humildes, trasladada casi intacta por sus habitantes recientemente "urbanizados", con los rascacielos modernos, emplazados en sus islas bordeadas de avenidas, los centros comerciales que buscan reemplazar la calle comercial y tradicional, y los "conjuntos cerrados" de vivienda, que pretenden devolver a una fracción limitada de la población la seguridad que tenía el recinto colonial.

De esta lucha de fuerzas antagónicas y de clases distanciadas económicamente, es necesario que surja entonces una ciudad abierta, democrática, que en vez de distanciar acerque a sus ciudadanos y recupere el espacio público para todos. Ya se habla del "Proyecto de transporte masivo para la Sabana de Bogotá", que se interconectaría con el sistema de tren metropolitano, en estudio actualmente. Pero es un hecho conocido mundialmente que las vías de transporte conllevan una urbanización indiscriminada de las áreas que recorren. La alternativa para Bogotá y la gran región metropolitana que la rodea, de características únicas en el mundo, es una acertada distribución de la población, que implique un crecimiento armónico y equilibrado de sus ciudades satélites naturales; en primer lugar y por obvias razones topográficas, Zipaquirá y Facatativá, y luego Fusagasugá y Villavicencio. El transporte masivo debe servir así, no para extender ilimitadamente la urbanización en detrimento de las áreas verdes y agropecuarias, sino más bien para interconectar, en forma ágil y eficiente, a los diferentes conglomerados urbanos.

*Desde aquí se gobierna a Colombia: es la mansión de los Presidentes, o Palacio de Nariño.
De perfiles neoclásicos, se construyó entre 1972 y 1979 sobre el mismo emplazamiento
de la casa natal de don Antonio Nariño —el "Precursor de la Independencia"—
y sobre los cimientos de una segunda edificación, de principios de siglo, que ya había
servido de sede presidencial hasta 1954 y de la cual se conserva el lado oriental.
Estas dos páginas registran su sencilla imponencia: a la izquierda, vista desde el balcón del
Museo de Artes y Tradiciones Populares (a un lado, el Observatorio Astronómico),
y a la derecha desde el jardín del costado sur. Abajo, la guardia presidencial.*

66

La severa belleza de los
interiores del Palacio
de Nariño dejan lugar a una
colección representativa
del arte colombiano
contemporáneo. En el Salón
Amarillo —derecha—,
arreglado con muebles
Luis XV y un jarrón de
Sevres donados por Francia,
se efectúan reuniones
de alto nivel.

*T*radicionalmente el poder ejecutivo (abajo, desde la Plaza de Armas) y el legislativo (arriba) han sido buenos vecinos.

*U*na perspectiva artística
(escultura de Negret)
para enfocar el antiguo Claustro
de San Bartolomé.
Originalmente fue una
capellanía ordenada
por Jiménez de Quesada, y allí
vivió San Pedro Claver.
Se le consideraba una de las
mejores edificaciones
del sector. En el Colegio San
Bartolomé se educaron,
entre otros patriotas, Antonio
Ricaurte y el general Santander.

Dentro del perímetro palaciego queda una curiosidad arquitectónica e histórica, un edificio octagonal rematado en una cúpula, en el cual los colombianos aprendieron a mirar las estrellas: el Observatorio Astronómico, el más antiguo de Hispanoamérica, fundado en 1802 por el sabio José Celestino Mutis.

Soldados del Batallón Guardia Presidencial.

Frente al Palacio de Nariño y al Observatorio (página opuesta) se conserva otra de las obras de Gaston Lelarge, con aires de "Belle Epoque", el Palacio Echeverry, ocupado por el Ministerio de Gobierno. Arriba, uno de sus vitrales.

Cuatro siglos y medio de historia han discurrido por la plaza de Bolívar desde cuando se posó en ese lugar el adelantado Jiménez de Quesada. Uno de los centros de poder que la circundan, el Congreso de la República, instala sus sesiones cada año en una fecha memorable de la plaza, el 20 de julio, en medio de vistosas paradas militares.

¿En qué lugar caben juntos la inquietud
de los niños, una exhibición
logística de la Policía, la presencia
simultánea del alcalde, del arzobispo y
del presidente de la Academia de
Historia, y un espectáculo de ballet?
En la Plaza de Bolívar,
proscenio del poder y ocasional tablado
de la cultura de masas.

76

*T*oda una cuadra de elegancia arquitectónica y decorativa alindera a la plaza de Bolívar por el occidente. El edificio Liévano, ocupado por la Alcaldía Mayor, fue construido entre 1902 y 1905 por el arquitecto francés Gaston Lelarge en el lugar que ocupaban las famosas Galerías que se incendiaron en 1900. Se integra perfectamente al marco urbanístico de la Plaza y es uno de los más afortunados ejemplos de la arquitectura de principios de siglo.

El corazón de Bogotá, y aun de Colombia:
la plaza de Bolívar. En la última
de sus varias remodelaciones, realizada en
1963 por Fernando Martínez Sanabria,
sólo quedó como ornamento la estatua de
Bolívar cincelada por Tenerani.
En el costado sur, donde quedaban el
palacio de los virreyes y la Real Audiencia,
se levanta el Capitolio Nacional,
iniciado en 1874 por el arquitecto Thomas
Reed y proseguido sucesivamente
por Pietro Cantini, Mariano Santamaría,
Gaston Lelarge y Alberto Manrique Martín
(1925). Su sobria imponencia republicana
armoniza con su pórtico de
dieciocho columnas jónicas estriadas.

*P*laza Mayor en la Colonia,
Plaza de la Constitución desde 1821 y
Plaza de Bolívar desde 1846, este espacio de
10.000 metros cuadrados rodeado
de arquitectura de tres siglos ha servido para
mercado público, circo de toros, cadalso,
insurrecciones e históricas jornadas populares.
Es también como un espejo étnico de la nación
ante el cual desfilan los poderosos
y los humildes, las damas aristocráticas y los
campesinos, los rubios extranjeros
y los negros chocoanos, los religiosos y
hasta los místicos y los locos.

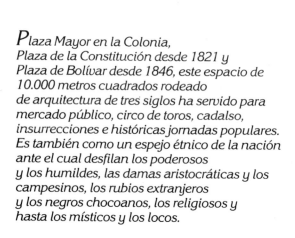

*D*esde la Casa de Nariño se enfoca la iglesia del Carmen, de grandes dimensiones —la cúpula remata a 40 metros de altura— y decorada a la manera de la catedral de Florencia, Italia.

*E*l IDU convirtió la Calle 7a. en una vía de doble calzada y comunicó así la Avenida Circunvalar con la Carrera 7a., con lo cual abrió un nuevo y fácil acceso al centro.

*E*dificio de la Superintendencia Bancaria y de la
Caja de Previsión Social de la misma
entidad, en el barrio Nueva Santa Fe de Bogotá.

*E*l Banco Central
Hipotecario ha legado a la
realidad un proyecto de
renovación urbana, en
pleno centro de la ciudad,
a través de "Nueva Santa
Fe de Bogotá".
Este proyecto se ha
programado para que su
usuario encuentre en el
centro de la ciudad un
hábitat amable, seguro y
rodeado de las mejores
condiciones ambientales,
paisajísticas
y arquitectónicas.

85

Nave central de la Catedral Primada de Colombia, de catorce columnas y altar neoclásico. Es la cuarta catedral que existe en el espacio que le fue asignado el día de la fundación de Santa Fe. Las anteriores hundieron en la quiebra a sus constructores y terminaron arrasadas por movimientos telúricos. A la derecha, un aspecto de su fachada.

Un símbolo de cuatro siglos en la famosa esquina de la Jiménez con Séptima: la iglesia de San Francisco, que encierra una singular riqueza en arte religioso.

AVE MARIA GRATIA PLENA

Una iglesia deslumbrante: Santa Clara. Ni un centímetro de la nave quedó exento del fastuoso arte decorativo que la reviste. También la adornan 103 cuadros religiosos de pintores de la Colonia como los Figueroa y Vásquez Ceballos. En 1968 se suspendió el culto en la iglesia y en 1969 la adquirió el Estado y se la encomendó al Centro Nacional de Restauración.

Cúpula de San Ignacio, a la vuelta de la catedral por la Calle 10. Fue levantado por el jesuita Juan Bautista Coluchini en los inicios del siglo XVII, con planos traídos de Roma.

San Marcos Evangelista (arriba), plasmado por Gregorio Vásquez de Arce y Ceballos en la pechina de la cúpula de San Ignacio.

Museo de Arte Religioso Santa Clara. Carrera 8a. con Calle 9a. Esta iglesia data del siglo XVII.

89

*Capilla del Sagrario, anexa a la catedral,
construida en 1700 por un sargento. Tiene obras
importantes de Gregorio Vásquez.*

*Voto Nacional (Calle 10, Carrera 16),
consagrada en 1913 al Corazón de Jesús por un
curioso motivo: conmemorar el 16o.
centenario del Edicto de Milán, que declaró la
paz de Constantino en favor de la Iglesia.*

*Una imagen venerada desde los tiempos del
ruido: Nuestra Señora de la Valvanera, en
la iglesia de Las Aguas, Carrera 3a. con Calle 18.*

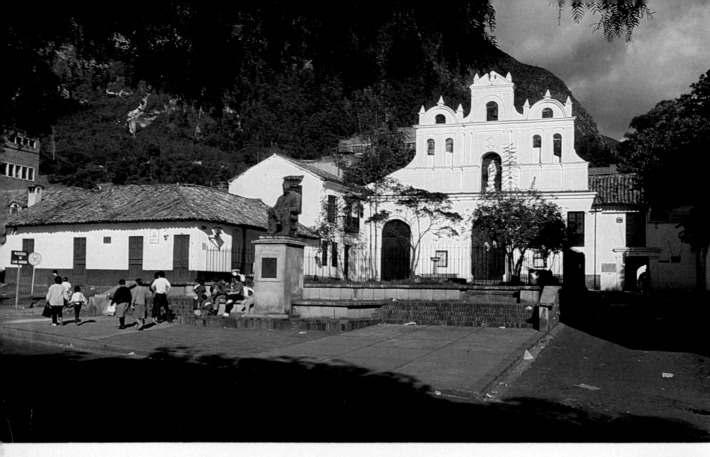

*I*glesia de Nuestra Señora de Las Aguas, bendecida en 1690 por el historiador Fray Alonso de Zamora. Conserva obras de Baltasar de Figueroa y Acero de la Cruz.

*A*rtesanías de Colombia S. A., la empresa estatal
encargada del desarrollo, fomento y comercialización
de las artesanías colombianas despacha en el
Claustro de Las Aguas, viejo convento colonial
declarado monumento nacional, contiguo a la iglesia
de Las Aguas. Allí funciona un gran almacén de
artesanías de todo el país y la escuela de capacitación
artesanal. Los ingresos que obtiene la empresa por su
operación comercial, se reinvierten en programas de
desarrollo y fomento artesanal.

Don Miguel Antonio Caro, fundó en 1870 la Academia Colombiana de la Lengua, la más antigua de América, junto con José María Vergara y Vergara —el promotor— y José Manuel Marroquín. La primera sesión se cumplió en 1872. La actual sede, de corte clásico, se ejecutó en 1960 —cuando presidía la institución el padre Félix Restrepo— con planos del arquitecto español Rodríguez Orgaz. Situada cerca del Parque de los Periodistas, cuenta con 25 académicos de número, 50 correspondientes —en el resto del país— y seis honorarios.

Estatua del poeta peruano Ricardo Palma, donada por la ciudad de Lima a Bogotá. Carrera 3a. con Calle 19.

De la desapacible fachada del antiguo teatro Odeón —y antes Teatro Cinerama— surgió, tras una afortunada remodelación, este frontis columnado (reflejo republicano de los años veintes) del Teatro Popular de Bogotá, en la Carrera 5a. con Avenida Jiménez. Adentro se rescataron las arcadas del escenario, que permanecían ocultas. Capacidad: 280 asistentes. Inversión: 310 millones de pesos.

Acompañamiento para el sabio Francisco José de Caldas, habitante permanente de la Plaza de las Nieves

Consonancia de ciencia y naturaleza: Universidad de los Andes, incrustada entre los cerros orientales, arriba de La Candelaria. Fue fundada en 1948.

Cuerpos de colores de Incol-Ballet, de Cali (página opuesta). Su plasticidad fue aplaudida por 15.000 espectadores en el Teatro al Aire Libre La Media Torta, construido en 1949 y remodelado en 1982, en la Carretera de Circunvalación con Calle 18.

*U*na incursión dominical a
La Candelaria no dejará de parecer un
viaje a los tiempos de Santa Fe,
no sólo por su arquitectura sino también
por su estilo de vida. No están
totalmente divorciados del pretérito, el
prosopopéyico artista callejero,
ni el "mercado de las pulgas", ni la
curiosidad de la turista
extranjera, ni el señor cura con su
procesión. Lo que se hereda no se hurta.

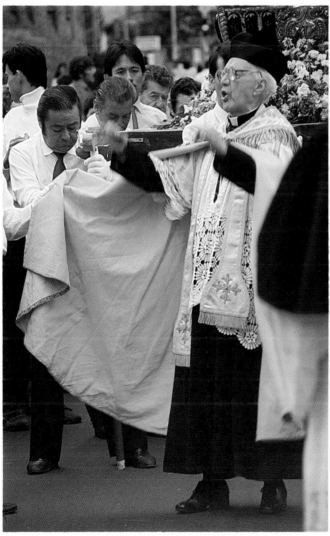

He aquí dos páginas de republicanismo. Ilustran uno de los momentos más caracterizados de la arquitectura capitalina, cuando el modelo español se sustituyó por una amalgama de formas del Viejo Mundo, sobre todo de Francia, y a la que muchos denominan neoclasicismo.

Las dos fotos grandes corresponden a edificios declarados monumentos nacionales en 1984 y situados sobre la Avenida Jiménez, a diez cuadras de distancia uno del otro. El de la Gobernación de Cundinamarca (página opuesta), prendido a la iglesia de San Francisco, salió del lápiz de Gaston Lelarge (se construyó entre 1918 y 1933) y se inscribe además en el catálogo de bellos palacios de gobernaciones que esa época dejó en el país. El de la Estación de la Sabana, se terminó en 1917.

El Banco Internacional tiene
medio siglo de trabajo en
Colombia. Su historia
se remonta al First National City
Bank, y su centro de
operaciones permanece en la
esquina triangular de la Avenida
Jiménez, la Calle 14 y la Carrera
9a., es decir, en el vértice de
lo que fue la "ciudad bancaria"
en el pasado. Hoy el
Internacional muestra una
evolución acorde con
las necesidades de los clientes y
el desarrollo del país.

La Casa Principal de la Caja Agraria, ubicada en la Avenida Jiménez con carrera 8a., es uno de los grandes núcleos bancarios que permanecen en el centro de la ciudad. Tanto en esta sede, como en otras 46 oficinas de la capital, localizadas donde la comunidad requiere la atención bancaria, la Caja cumple con el objetivo que identifica a esta entidad: Banco en la ciudad y fomento en el campo .

*B*ogotá tenía su río, aunque éste no era propiamente
un Támesis ni un Sena, y escurría desde los cerros
por el Camellón de los Carneros. Pero un día, cuando
despertaba el siglo veinte, el río San Francisco y
el Camellón murieron para que sobre ellos la Avenida
Jiménez creciera y marchara hacia los confines
occidentales, y a su vez sobre ésta se alzaran los
grandes edificios, la moderna Bogotá de ayer...
Aparecieron, por ejemplo, el edificio Pedro A. López
(frente a la Gobernación), ocupado por el Banco
Cafetero, y un poco más abajo el edificio Cubillos.
Y a unos pasos de allí, en la 14, de la
Calle Florián (8a.) hacia arriba, se estructuró el Wall
Street bogotano, que décadas más tarde sería
"la calle de los esmeralderos" y hoy se halla felizmente
convertida en uno de los raros pasajes peatonales.

*D*e los 309.000 vehículos que ruedan
por Bogotá, más de 18.000 corresponden
a buses, busetas y microbuses
—insólitas modalidades de transporte
estas dos últimas—, de servicio público
pero de dueños particulares —y éste
es otro fenómeno singular en el mundo—.

*E*l destino comercial de los edificios de la Carrera
Décima, en el centro capitalino, está a la vista.

El Banco Comercial Antioqueño se fundó en 1912 como Banco Alemán Antioqueño, con sedes en Bremen y Medellín. Hasta los años veintes favoreció especialmente a los exportadores de café. Durante el auge del oro incentivó fuentes de trabajo y se extendió por todo el país. En la Segunda Guerra Mundial se separaron los alemanes, y en 1942 adoptó su nombre actual. En 75 años ha cimentado una sólida estructura económica.

Un artista del pueblo y para el pueblo, o un indígena transando su mercancía con los blancos, forman parte de la vida que aparece y desaparece a diario en el Parque Santander.

Mientras los más cultos —en su mayoría extranjeros— se dirigen a ver la fabulosa colección de piezas precolombinas del Museo del Oro, un auténtico "cachaco" recuerda aquello de "genio y figura...", y una mujer se apoya en la iglesia de San Francisco —curtida por la historia— para pregonar las malas noticias. Imágenes que merodean por el Parque Santander.

109

*R*ubricado por concertistas internacionales: es una de las mejores salas de música de Latinoamérica por su diseño y acústica. Desde su inauguración, en 1966, este auditorio de la Biblioteca Luis Angel Arango del Banco de la República ha presentado casi un millar de conciertos. Capacidad: 387 personas.

Dos mil años de trabajo metalúrgico y de mitos y creencias están representados en el Museo del Oro del Banco de la República, plataforma de un viaje maravilloso por las culturas prehispánicas de Colombia.

Muestras de las 32.000 piezas de oro precolombino del Museo. También hay 13.000 objetos de cerámica.

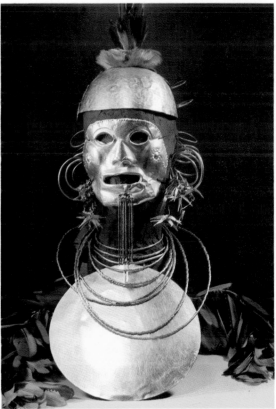

Después de la lluvia la ciudad recobra su ritmo nervioso. Carrera Séptima con Avenida Jiménez, las dos calles más importantes de Bogotá durante varios siglos.

Una mirada de fondo, desde las cumbres de hormigón de la Séptima, nos lleva lejos, hacia el ancho sur, donde alternan tugurios, casitas y ciudadelas, y más lejos aún, siguiendo los cerros, hasta el punto de escape al Llano, la salida a Villavicencio.

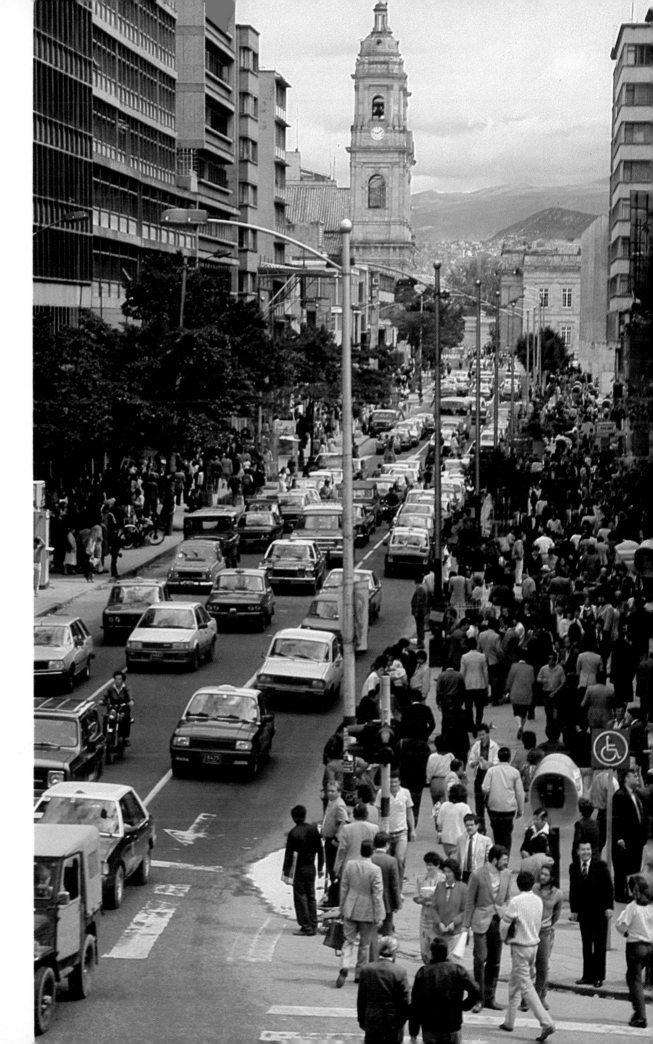

Un sitio de auténtica tradición bogotana, de salones amplios y elegantes, de marquesinas con vitrales importados de Bélgica, es el Jockey Club. Para sus socios —políticos, diplomáticos, intelectuales, comerciantes y banqueros— representa un tranquilo refugio en el corazón de la ciudad.

114

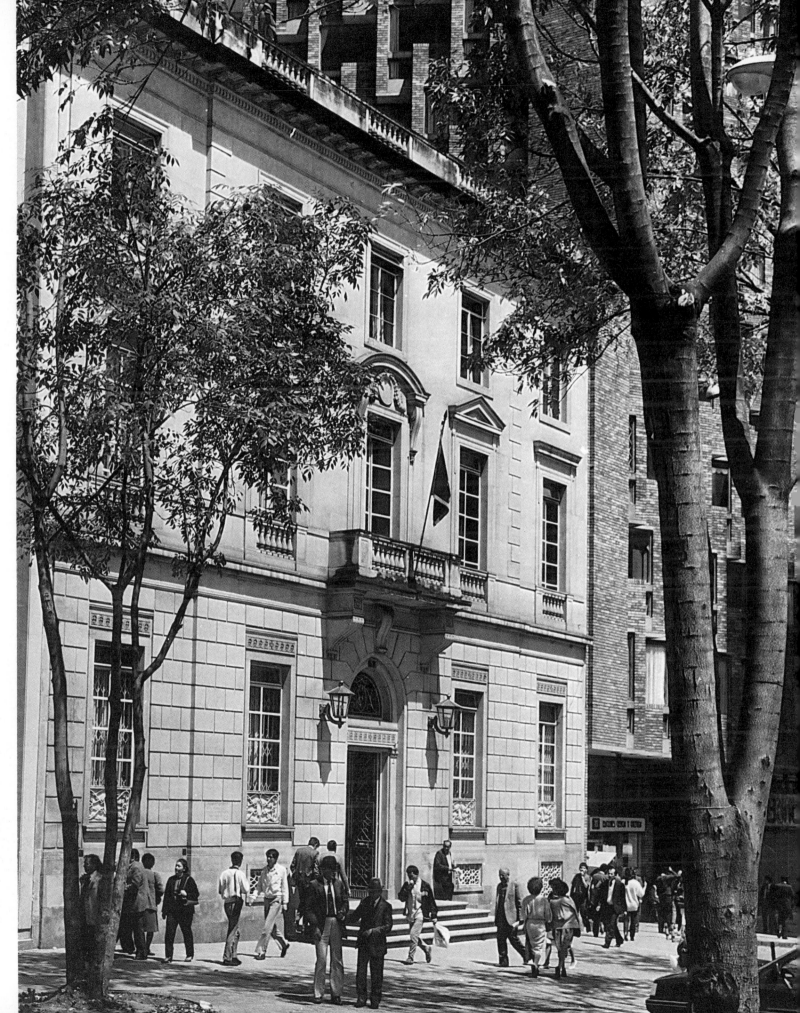

El Jockey Club rodó por el mundo —por ese pequeño mundo del centro bogotano— desde su fundación en 1902, y conoció cuatro sedes entre la Plaza de Bolívar y la Calle 18. Echó raíces en su quinta casa, la mansión de rasgos franceses que aquí se encuadra, en pleno Parque Santander, terminada en 1942. Tiene una norma terminante: jamás celebra reuniones políticas.

*E*ste edificio de la Calle 16 con Carrera 5a., que fue sede del Banco Ganadero y hoy se halla ocupado por Corpavi, aportó a la ciudad una plazuela que compensó la gran altura de la torre. Es obra del arquitecto Hernando Vargas Rubiano.

*E*jemplos de la renovación del centro, donde se anuncia por lo alto. A la derecha la Terraza Pasteur, que trajo una mejor vida para la esquina de la Séptima con 24.

A través de la escultura del maestro Ramírez Villamizar se divisa el edificio de Bavaria de la Carrera 10 con la Calle 28.

116

*D*os torres espigadas despuntan hacia las
nubes. La de Avianca (izquierda),
en el Parque Santander, de cuatro sótanos
y 36 pisos (130 metros de altura),
es pionera de los rascacielos nacionales
(1969). La Torre de Colpatria,
frente a los puentes de la 26, posee ahora el
récord de altitud: 50 pisos (183 metros
de elevación). Fue construida en 1978.

117

*H*oy se agita bajo una vida de vértigo, pero hace tres o cuatro decenios era un lugar "in" de Bogotá. En esta cuadra de la Carrera Décima, (página opuesta) de la Calle 20 hacia la 19, sobresale el edificio Colseguros (al fondo y a la izquierda, en el extremo opuesto del Ministerio de Agricultura).

*D*e la Carrera Octava al oriente por la Avenida 19, los edificios hacen fila india hacia los cerros. Varias de estas torres corresponden a hoteles de tres y cuatro estrellas.

119

*P*ara darle un vistazo al panorama de las artes plásticas en Colombia se debe visitar el Museo de Arte Moderno de Bogotá, que posee la más completa colección de arte contemporáneo y algunas obras de nuestros primeros maestros. Desde luego, también exhibe el arte universal. Su programación permanente incluye exposiciones de colombianos y extranjeros, conferencias y talleres. Tiene restaurante, biblioteca, librería y sala de cine. Su reciente ampliación y su intesa actividad se deben al esfuerzo de personas y entidades particulares. Calle 24 No. 6-55.

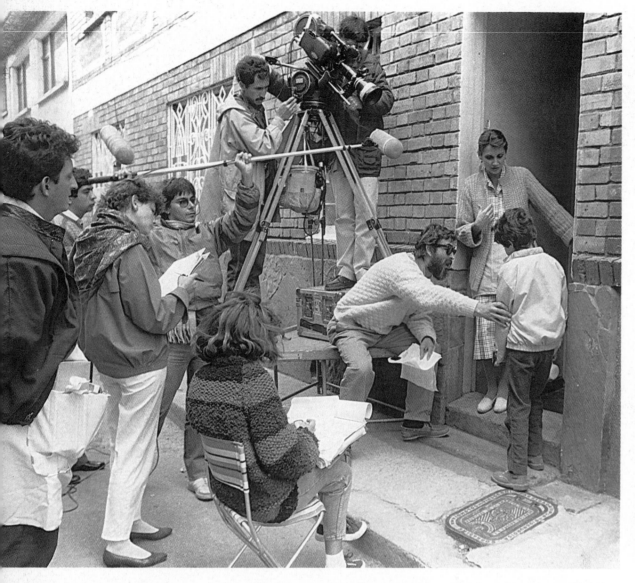

Sorpresas nos da la calle: una escena de televisión, una "librería de viejo" que sale a buscar los lectores, el tedio de la espera de un cliente, y un par de personajes de la política transitando inadvertidos por el centro.

TIERRA DE NADIE

Eduardo Arias Villa

Quienes nacimos en la década de los cincuenta, nunca conocimos aquel Bogotá mitológico, mitad inglés, mitad colonial, que era a la vez Atenas suramericana y reducto invulnerable de los miedos provincianos propios de una aldea del siglo XIX. Hemos escuchado una y mil veces cómo fue borrado del mapa aquel Bogotá y reemplazado por uno nuevo luego del 9 de abril.

Sin necesidad de vivir guerras civiles ni insurrecciones generales, nosotros también hemos asistido al rápido cambio de una ciudad que nos vio nacer con un millón de habitantes y que ahora se nos ofrece inmensa, dispuesta a tragarse toda la Sabana y sus cerros circundantes si es necesario.

Crecimos bajo el paisaje de los grises edificios de la Carrera Décima, testimonio de la idea de progreso que imperó en épocas de Rojas Pinilla, y en las muy tranquilas calles donde circulaban orgullosos aquellos coches americanos de aletas cromadas y sólidas carrocerías que jamás se volvieron a fabricar.

Bajo los tejados de Teusaquillo, La Merced y El Nogal, sólo habitaban familias, y atravesar Bogotá de un extremo a otro no era muy complicado.

En veinte años todo esto nos parece tan lejano como las épocas aún más pretéritas de nuestros abuelos. Porque Bogotá aprendió a crecer en todas las direcciones, sin respetar ningún tipo de obstáculo. Barrios enteros, testimonio de épocas mucho más tranquilas, han caído para darle paso a edificios de variada altura y urbanizaciones separadas del resto del mundo por murallas, cadenas y barras de metal.

Bogotá ofrece contrastes que hacen imposible encasillarla. Es demasiado caótica para ser hermosa. Esconde demasiadas sorpresas como para ser aburridora. En ella sobreviven, como una especie de museo de sí misma, algunos reductos marginales de otras épocas. Es una ciudad que en muy pocos años ha adquirido color y, pueden ser sólo impresiones, en ella ha dejado de llover como antes. O al menos la lluvia es

menos opresiva. Sus cerros eternos, cada vez menos eternos a medida que avanzan las canteras y más edificios los tapan, aún siguen siendo la mejor referencia para distinguir esta ciudad de cualquiera otra.

Porque la arquitectura y las costumbres de sus gentes pueden decir cualquier cosa. Los viejos aleros, las esquinas de tertulias y los cachacos de paraguas y sombrero le han dado paso a los colorines dictaminados por la moda de Medellín, a la arquitectura tugurial de los centros comerciales, a los rascacielos de cristal polarizado que nos equiparan con cualquier ciudad intermedia de los Estados Unidos.

Cada lugar de Bogotá evoca lugares muy distantes y diferentes.

En los edificios del centro, plagados de avisos de "se vende" y "se arrienda", pareciera ser una ciudad abandonada a causa de alguna maldición irreversible. En los conjuntos multifamiliares de edificios idénticos, parece algún ghetto moderno incrustado en cualquier ciudad sin nombre. A veces parece Miami, con sus hordas de locales donde se venden perros calientes con sabor a camarón y salsa Chantilly, discotecas y minitecas ambulantes, graffitti de colegios bilingües donde sólo es permitido expresarse en inglés y lucir zapatillas de fabricación coreana con banderitas de Inglaterra en la lengüeta.

Ya hay tantos puentes que nuestros hermanos menores se extrañan cuando les hablamos del Tercer Puente. Son muchos los puentes que hoy en día se encargan de trasladar los antiguos trancones (glorieta de las Américas con Avenida Eldorado, por ejemplo) a las calles centrales de la ciudad.

Cada día más ruidosa, cada día más activa, Bogotá avanza hacia un futuro imposible de predecir. Hacia el norte y el occidente los límites cambian cada día.

Alguna vez, en los años sesentas, éstos pudieron ser en la Calle 100 con el Camino de Suba. Hoy en día, Chía y Cajicá son, en la práctica, barrios de la ciudad. El mismo río Bogotá, hasta hace pocos años un alejado hito geográfico que serpenteaba entre potreros y cultivos tradicionales, hoy está en algunos puntos a tiro de cañón de urbanizaciones y conjuntos multifamiliares.

No quisiéramos imaginar una Bogotá del futuro regida por los actuales parámetros. Una visión del futuro, estremecedora, nos mostraría sus cerros erosionados y desmoronados como si ésta fuera la capital de algún país desértico. O una ciudad que sigue creciendo en todas las direcciones y que es incapaz de solucionar sus problemas de transporte masivo y servicios.

También podríamos imaginar una ciudad que vuelve sobre sus pasos, reconoce los valores de su pasado y deja de mirar sus antiguos barrios como una simple curiosidad ajena. Ambos caminos son igualmente posibles. Esperemos que la ciudad aprenda a recuperar algo de su memoria y a pensar en el futuro sin despreciar su pasado.

Los nuevos edificios no deben ocultarnos los otros rostros de esta ciudad fascinante que cada día parece ser más y más la tierra de nadie, donde convergen compatriotas de todas las regiones que sólo esperan de ella un trabajo y un lugar donde pasar la noche.

Algo nunca visto en América Latina: 23.000 personas corriendo veinte kilómetros de calles, el 6 de agosto de 1987, en la Maratón de Bogotá, organizada por la Federación de Atletismo, la Alcaldía Mayor y Coldeportes.

*U*n tajo en el entrañable Parque de
La Independencia borró a éste del mapa, puso en
su lugar los puentes de la 26 (en la foto) y
dividió a Bogotá en dos. De allí hacia el norte
creció el centro internacional. Pero quedó, como
contraste, un vestigio del rústico pasado
santafereño: la recoleta de San Diego,
fundada en 1607 como convento franciscano.

130

A sólo 20 minutos del aeropuerto Eldorado, en el centro internacional, se encuentra el Hotel Tequendama Inter-Continental, uno de los de mayor categoría en Colombia y de los primeros y más tradicionales de Suramérica. Cuenta con 800 habitaciones, suites ejecutivas, amplias áreas sociales, un renovado lobby, salones para congresos y convenciones, elegantes restaurantes y una envidiable ubicación, que lo hacen más atractivo para el hombre de negocios y turistas en general.

Al inaugurarse en 1971 el Edificio Seguros Tequendama, promovió el desplazamiento del eje de la ciudad al sector del centro internacional. Fue postulado al Premio Nacional de Arquitectura. Tiene 30.000 metros cuadrados de área construida, distribuidos en una torre de 35 plantas, con estructura antisísmica. Es sede de importantes entidades como el Banco Tequendama, Eternit Colombiana, Joyería Kawai, Seguros Tequendama, a la cual se le debe su nombre, y en los últimos niveles, el Club de Ejecutivos.

Las instalaciones del Club de Ejecutivos ocupan los siete últimos pisos del Edificio Seguros Tequendama, decorados al estilo inglés. Aquí se reúnen los dirigentes empresariales, gremiales y de las instituciones públicas más importantes del país. Existen salones para juntas directivas, asambleas y congresos, con todos los servicios complementarios requeridos. Por su ubicación tiene una excelente panorámica de la ciudad y de los cerros de Monserrate y Guadalupe.

*V*ehículos y taurófilos en un domingos de
temporada en la Plaza de Toros de Santamaría.

134

Todas las grandes figuras del mundo taurino han pisado la arena de la Plaza de Santamaría (iniciada por Ignacio Santamaría y terminada en 1931 por su sobrino Carlos Sanz de Santamaría). Remodelada exteriormente en 1944, da cabida a 15.000 aficionados.

135

*F*lota Mercante Grancolombiana.
*Este edificio recibió la mención de
honor por parte de los organizadores
del Premio Nacional de Arquitectura
en 1966. Es la sede de la más
importante naviera del país, la Flota
Mercante Grancolombiana,
instrumento fundamental del
comercio exterior colombiano con
más de cuarenta países.*

Helicóptero 206-L Ranger de Helicópteros Nacionales de Colombia —Helicol S.A.—, volando sobre el centro de Bogotá. Esta empresa, con 32 años de existencia al servicio del país, posee además helicópteros 212, 205 y 204 y aviones Grumman, Twint Otter y Westwind para el transporte de tipo ejecutivo de valores y el turismo en general.

Cuando sale el sol, Bogotá se vuelve tierra de veraneo, y si es un domingo no hay apremios para quien imita en su carro al avestruz. Una distracción popular: entrar al Planetario Distrital. Otra, en esos mismos contornos: prestarles atención a los músicos callejeros.

"¡Que vivan los novios!". Atrio de la iglesia de San Diego.

*O*bras de arte desde el siglo XVII hasta hoy, expone el
Museo Nacional. Se trata prácticamente de tres
museos en uno: el antropológico, del
Instituto Nacional de Antropología; el de bellas artes y
el de historia. Sus colecciones pasan de
30.000 piezas. Lo creó el general Santander en 1823, y
desde 1948 ocupa el edificio del
antiguo panóptico, en la Carrera 7a. con Calle 28.

*L*a galería Garcés Velásquez se destaca desde los
primeros años setentas entre todas las
instituciones del país dedicadas a la divulgación del
arte contemporáneo colombiano y extranjero.
Anualmente participa en la FIAC de París, La
International Art Fair de Chicago y la Feria de Colonia
en Alemania, eventos que la hacen figurar entre
las mejores galerías del mundo. Carrera 5a. No. 26-92.

141

La Galería Cano tiene una tradición de
más de cien años en el manejo
del arte precolombino en Colombia, y hace
más de tres lustros practica la
reproducción de esta orfebrería —ranas,
aretes, alfileres, pinzas, pectorales y toda la
vistosa gama de adornos de los caciques—
con las mismas técnicas de los
aborígenes: el laminado, el repujado, el
inciso y el complicado proceso de
la cera perdida.
Su labor ha sido reconocida por el
Museo del Oro —al cual ha contribuido con
una tercera parte de las piezas de éste—,
el Museo Metropolitano de Nueva York
y National Geographic Magazine de
Washington. Desde 1973 exporta su
producción a Suramérica,
Estados Unidos y Europa, donde se exhibe
en museos y cadenas de
almacenes y en sus propias tiendas de siete
ciudades del mundo.

144

En Bogotá, como en las grandes capitales del mundo, también se disfruta del sabor y aroma de nuestro café, el café de Colombia.

Este almacén de Boots'n Bags está situado en el Centro Internacional Tequendama y es uno de los tres establecimientos que ha instalado en Bogotá la firma Our Bags, fundada en Bucaramanga en 1973, trasladada dos años después a la capital del país y convertida hoy en uno de los principales exportadores colombianos de manufacturas de cuero. A la izquierda un aspecto de sus tallleres.

145

La Corporación Social de Ahorro y Vivienda Colmena ha estimulado el desarrollo de Bogotá en los últimos años mediante la financiación de millares de casas, apartamentos y edificios comerciales. También ha aportado al embellecimiento de la ciudad su propia sede y una escultura de Salvador Arango, que representa una pareja de jóvenes, su vitalidad y su espíritu de trabajo y de lucha.

146

En 1974 el Banco de Colombia —a los
cien años de su fundación—
terminó el edificio San Martín, de la
Carrera 7a. con Calle 31, donde funciona
desde entonces su dirección general.
En la década de los cincuentas la entidad
había construido el primer edificio
de Bogotá en estructura de acero, en la
Carrera 8a. con Calle 13.
Otro aporte urbanístico del Banco de
Colombia a la capital consiste
en la conservación de algunos parques.

147

El Hotel Bogotá Hilton, localizado en pleno centro internacional, se convirtió desde su inauguración, en 1972, en el sitio obligado para celebrar los grandes acontecimeintos sociales, políticos y empresariales de la capital. Una vez se termine la ampliación que actualmente se adelanta, será el segundo Hilton más grande de Latinoamerica, con 852 habitaciones y un centro de convenciones para 2.700 personas, que hará de Bogotá un importante destino para congresos y convenciones.

El Teatro Colsubsidio: lleva el nombre de Roberto Arias Pérez, tiene un escenario de unos 400 metros cuadrados y capacidad para más de mil espectadores, es de los mejor dotados del país, presenta los más famosos espectáculos nacionales e internacionales (como el Ballet de Colombia que dirige Sonia Osorio, foto izquierda) y a su programación pueden asistir, pagando tarifas diferenciales, tanto los afiliados a Colsubsidio como los particulares. Calle 26 No. 25-40.

*P*or razones prácticas el Concejo de Bogotá
abandonó la zona histórica y se instaló en una
planta propia, amplia y funcional, cerca
de la Calle 26 y de la Avenida de las Américas.

*F*rente al cabildo se construyó un paso elevado
—obra de Pinski y Asociados—,
al que se designó "Puente del Concejo".

*D*el Ayuntamiento —nombre anacrónico pero
cargado de evocaciones— al Centro
Administrativo Distrital sólo hay unos pasos,
para facilitar los contactos. El Centro se ve a la
izquierda en esta panorámica de la Carrera 30.

*B*ajo inspiración de modelos norteamericanos se formó hace unas tres décadas una colmena oficial en el camino al aeropuerto: el Centro Administrativo Nacional, CAN. Totaliza 245.000 metros cuadrados de edificios con afinidad de estilo. Agrupa veinte instituciones oficiales, entre ellas los ministerios de Educación, Obras Públicas, Defensa y Minas y Energía, el Incora, el Dane, la Caja Nacional de Previsión, el Instituto de los Seguros Sociales y el Intra. 15.000 funcionarios del gobierno ocupan sus oficinas. Aún hoy, el CAN continúa en expansión.

*D*irigido por la Corporación de Ferias y Exposiciones (Corferias), funciona en Bogotá uno de los recintos feriales más grandes y mejor dotados de Latinoamérica: una ciudadela de 150.000 metros cuadrados, con 40 pabellones. Desde 1954 se reúnen aquí expositores y compradores de medio centenar de países, en ferias nacionales, internacionales, generales y monográficas, y su transferencia tecnológica ha beneficiado al comercio internacional y a la industria colombiana —la cual ha logrado intensificar así sus exportaciones—.

157

*L*os edificios de las fotografías izquierda superior y
derecha inferior, han sido las sedes de El Tiempo
durante los últimos 26 años. El primero,
de clásico estilo francés, está ubicado en "la mejor
esquina de Colombia": Avenida Jiménez con
Carrera 7a. Sin dejar de ocupar esta casa tradicional,
el periódico centralizó sus operaciones en
la nueva planta (derecha), desde abril de 1978. Esta
moderna estructura, considerada la más funcional de
América Latina en su género, se levanta en la
autopista Eldorado, entre las avenidas 68 y Boyacá,
uno de los mayores polos de desarrollo de la ciudad.

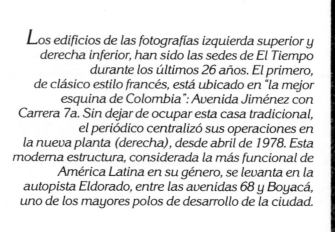

*L*a Declaración
Universal de
los Derechos
Humanos ocupa
el hall principal
de la sede central
de El Tiempo.

*A*specto del hall
en el edificio de
la Avenida
Eldorado, donde
El Tiempo tiene
sus oficinas
y sus talleres.
Aquí el diario
inició la etapa
definitiva de su
desarrollo
tecnológico, que
lo sitúa hoy entre
los más
modernos del
mundo.

*U*n papel destacado en el desarrollo urbano de
Bogotá le ha correspondido a la ingeniería de Pinski y
sus asociados. Sus edificaciones públicas,
como las de la Empresa de Energía de Bogotá, y la
Policía Nacional, marcan un progreso físico
de la ciudad y, además, representan
mayores facilidades para la atención a los ciudadanos
que acuden a los despachos oficiales.

La Avenida Eldorado lanzó la ciudad hacia el occidente, sobre la amplitud de la Sabana. En uno de sus puntos cruciales, esta vía se convirtió en un puente (otro de Pinski y Asociados) para dejar pasar de largo la Avenida Boyacá.

*C*on sus instalaciones de
moderno diseño arquitectónico, amplios
parqueaderos, zonas verdes y hermosos jardines,
la distribuidora Los Coches La Sabana es una
de las salas de exhibición y venta de vehículos más
importantes del país. Se trata de una obra
de singular belleza, esfuerzo de la organización
Ardila Lulle, que ha contribuido al desarrollo
urbanístico y comercial de la Avenida Eldorado.

163

Compañía Colombiana Automotriz S. A. Fabricante de los vehículos MAZDA en Colombia. Su planta de ensamble, en la zona industrial, tiene un área de más de 100.000 metros cuadrados. Para 1987 se estima una producción de 16.000 unidades de las diferentes versiones de las líneas 323, 626 y Pick-Up B-2000, completando así y contando desde el comienzo de la operación Mazda en Colombia, más de 54.000 unidades.

El Espectador es el periódico más antiguo de Colombia. Nació en Medellín el 22 de marzo de 1887 y se trasladó a Bogotá 28 años más tarde. En 1964 construyó su sede en la entonces proyectada Avenida 68. Ha recibido el premio Cabot de la Universidad de Columbia y el SIP-Mergenthaler, entre otros. Posee una moderna planta editorial, Rotto-Offset, en la cual edita publicaciones comerciales.

165

*E*diciones Lerner inicia su historia en 1960 con una máquina heredada por el fundador, Salomón Lerner, de un tipógrafo español. Su piedra angular fue la publicación de "Tribuna Médica" desde 1961. En 1970 adoptó el offset y luego la sistematización. Es una de las más avanzadas editoriales del continente. Cubre todos los campos de las artes gráficas. Edita desde almanaques y rótulos hasta fascículos y libros de lujo. Tiene una de las principales librerías de Bogotá.

Tecimpre es una moderna impresora situada en la zona industrial (Calle 15A con Carrera 69,) vinculada al desarrollo de Bogotá desde hace ocho años. Posee tres rotativas de alta velocidad, imprime cinco millones de ejemplares mensuales de las principales publicaciones del país, genera 165 empleos directos y, por su amplia participación en el mercado de las artes gráficas, aporta cuantiosos recursos fiscales.

168

Empacor y Empapel son las industrias más representativas de los sectores papelero y cartonero de Bogotá, constituidas con capital netamente nacional. Se trata de pequeñas pero pujantes empresas que compiten con seriedad, brindando calidad y servicio excelentes, frente a las grandes multinacionales. Una obra de Santiago Cárdenas preside su sala de juntas.

*El Centro Comercial
El Tunal es el
único establecido en el sur
para atender una
población de cerca de dos
millones de personas.
Tiene una
capilla subterránea,
16 consultorios médicos,
284 locales y parqueadero
para 900 carros.*

*El sur se divierte. Allí el
pueblo se da su propio
espectáculo de domingo,
casi siempre con fútbol a
campo abierto, y entonces
se agotan hasta las
localidades más elevadas.*

Ciudad Tunal es un nuevo concepto en desarrollo urbano, construida por el Banco Central Hipotecario, donde el hombre es el punto primordial de su aplicación, satisfaciendo no solamente una necesidad de protección y propiedad —la vivienda— sino los requerimientos de culto, comercio, educación, recreación, salud y bienestar social.

La Terminal de Transporte Bogotá atiende unos cuarenta millones de pasajeros por año, a los cuales les brinda comodidad, seguridad y eficiencia. Esta misma empresa viene realizando estudios para dotar a la capital de una indispensable Central de Carga, que se espera dar al servicio en 1989, en un lote de 50 hectáreas situado al occidente de la ciudad.

*D*urante quince años Corabastos ha constituido una
adecuada estrategia para el abastecimiento
alimentario de Bogotá y del país, y un complejo canal de
distribución comercial. Concentra la oferta y
demanda de artículos agropecuarios, tratando de
racionalizar los servicios, vigilar los precios, organizar el
expendio de productos y garantizar la
subsistencia de una gran cadena de empleos y suministros.

174

*L*uminex fabrica desde hace veinte años la más
extensa línea de productos eléctricos.
Los tomacorrientes, interruptores, cajas de alumbrado,
etc., de calidad internacional, son un
aporte a la seguridad, belleza y comodidad de muchas
industrias y hogares. Esta empresa, que
trabaja con confianza en el país, proporciona empleo
directo a 800 colombianos.

A doce kilómetros del centro, en el occidente, se halla el aeropuerto Eldorado, que sobrepasa las 680 hectáreas de extensión. El gran salón de despachos del bloque central mide 2.500 metros cuadrados; allí se acomodan las empresas nacionales y extranjeras. Su última remodelación se terminó este año (1987).
En 1981, Avianca dotó a Bogotá de una terminal adicional, el Puente Aéreo, para sus propios vuelos a Medellín y Cali (ocho diarios de llegada y ocho de salida a cada ciudad), y en 1984 lo amplió para los viajes a Nueva York (un diario) y a Miami (dos al día).

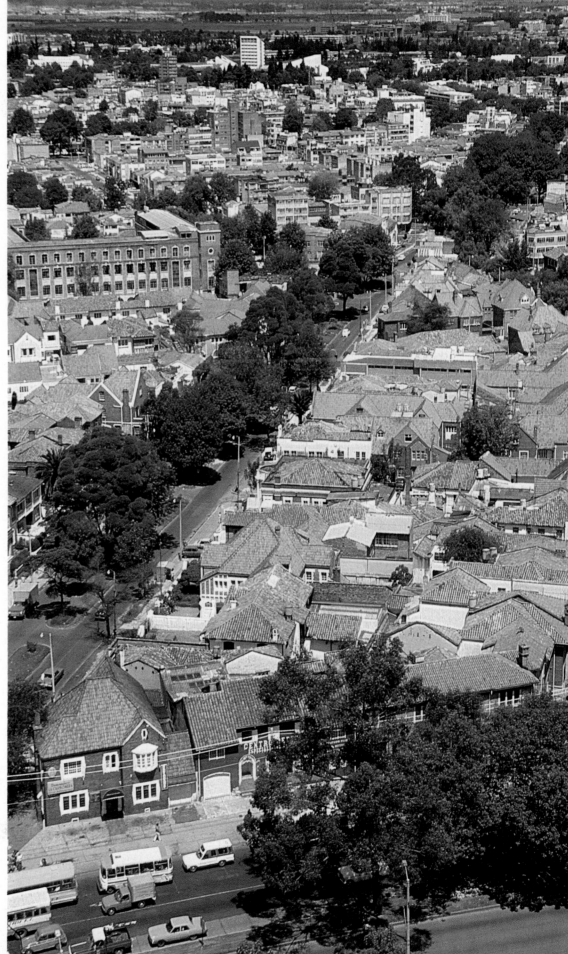

*La Universidad Nacional fue fundada en 1867.
La construcción de la Ciudad Universitaria se
inició en los años treintas bajo el sabio derrotero
de los arquitectos alemanes Erick Lange y
Leopold Rother. Se extiende sobre trece
hectáreas —zonas verdes y peatonales en un 75
por ciento— y cuenta con doce facultades
(página opuesta).
Contemporáneos y próximos al campus de la
"Ciudad Blanca" crecieron los barrios La Soledad
(arriba) y Teusaquillo (derecha).*

En tiempos lejanos, Teusaquillo era un gran sector que luego dio origen a varios barrios residenciales que guardan cierta identidad urbanística.
Una de las más recientes inauguraciones fue la del enorme edificio del Banco de Bogotá,
realizado por la firma Cuéllar Serrano Gómez.

180

Con la hecatombe del 9 de abril Bogotá despertó de su largo sueño colonial y se convirtió en ciudad moderna, gracias a la evolución urbanística generada por eminentes arquitectos de Cuéllar Serrano Gómez y Cía. Ellos han continuado embelleciéndola con edificios como el de Las Américas (arriba) y el del Banco de Bogotá (página opuesta), arquetipos de un diseño elegante y funcional.

En los años treintas llegan a
Colombia las corrientes estilísticas
europeas y toman plaza en barrios
como Teusaquillo, de la mano de
arquitectos extranjeros y de los
primeros colombianos que se
destacan en este arte.
A pesar del vandalismo
transformador que los agredieron
en años pasados, Teusaquillo y los
sectores vecinos, como La
Magdalena, permanecen como
ejemplos de noble concepción
urbana y grata morada.

*El lenguaje arquitectónico de Teusaquillo denota similitud en la
altura, gracia en las fachadas, techos agudos
para permitir la escorrentía, pórticos abrigados, chimeneas
voluminosas, espacios abiertos y calles amplias.
En su proceso de cambios el 16 por ciento del área pasó a uso
institucional y el 33 por ciento a comercio, y sólo el 51 por ciento
permanece como vivienda. En 1979 el
Concejo dispuso su conservación como patrimonio urbano.*

183

*La primera gran avenida de doble calzada (40 metros de ancho)
fue la Carrera 14, después Avenida Caracas (foto interior). La diseñó
el arquitecto austriaco Karl Brunner
durante el gobierno de Alfonso López Pumarejo.
La Avenida 39, mucho más nueva que la Caracas, corre de este a
oeste dividida por un tapiz verde y un canal
abierto a los descomunales aguaceros que acometen a la ciudad.*

*E*n 1973 los bogotanos se sorprendieron viendo cómo se construía el edificio Ugi, de 22 pisos, de arriba hacia abajo (en la Carrera 13 con Avenida 39). Mucho antes, en 1947, la ciudad había admirado la adaptación del antiguo panóptico para Museo Nacional. Desde entonces, a lo largo de 40 años el nombre del arquitecto Vargas Rubiano ha estado vinculado a notables obras de interés urbano. El diseño del World Trade Center con su hotel "Bogotá Royal" es la más reciente.

La vía más larga de Bogotá y más famosa de Colombia, la Carrera 7a., viene del sur, atraviesa el centro y se hunde en los confines septentrionales, en el Puente del Común. En cada sector cambia de estilo.

*E*dificio sede de la Empresa Colombiana de Petróleos —Ecopetrol—. Su estructura y diseño constituyó un importante aporte urbanístico para el centro internacional de la capital y lo hizo merecedor del Premio Nacional de Arquitectura en 1969. La labor de esta compañía —patrimonio y esfuerzo de colombianos— ha garantizado el suministro permanente y adecuado de combustibles en el país.

Vigías en el bosque, recreo dominguero, vereda para caminantes, punto de meditación y campo deportivo: todo esto en el Parque Nacional. Los eucaliptus suben hasta 20 metros de altura y los pinos escalan hasta tres metros.

189

*M*ás allá de lo que se observa desde la
Carrera 7a. entre Calles 36 y 39, existen treinta
hectáreas de instalaciones del Parque Nacional
Olaya Herrera. Pero éstas corresponden apenas
al diez por ciento de las trescientas que forman el
pulmón vegetal más grande del casco urbano y
el cual llega hasta las estribaciones de
Monserrate. Muchos lo consideran la versión
bogotana del Central Park de Nueva York.

191

El ascenso a Monserrate apareja un apetitoso fervor por las viandas criollas. La Alcaldía Mayor las acomodó en casetas.

Para todo mundo resulta imperativo encaramarse alguna vez al Cerro de Monserrate, 550 metros por encima de la ciudad, a partir de la estación del teleférico o en penosa peregrinación pedestre. Los escalones pueden servir para el preámbulo o el epílogo.

193

*M*illones de personas suben cada año a Monserrate.
El ascenso en teleférico resulta muy emocionante y se
puede realizar de lunes a sábado, de 9 a.m. a 12 p.m.
En la cima se levanta una bella casa de la Sabana
que fue desarmada pieza por pieza y reconstruida
arriba para alojar el restaurante típico Santa Clara,
y un caserón santafereño donde funciona el
restaurante San Isidro, especializado en mariscos.

*A vuelo de helicóptero se aprecia en toda su magnitud el
Cerro de Monserrate, con el antiguo camino de los peregrinos, que fue
modernizado, y el santuario gótico que sustituyó a la ermita de 1650 derribada
por los temblores de 1917, en el que se venera la imagen del Señor Caído,
considerada milagrosa. Al frente, la Sabana hecha ciudad.*

El Instituto de Desarrollo Urbano abrió en 1985 la Avenida Circunvalar, vía rápida ceñida al eje natural de los cerros orientales, con el fin de aliviar la presión del tráfico entre el centro y el norte. Su "Viaducto de la aguadora" mide 300 metros de longitud.

*T*iene las estudiantes más bellas y una extendida fama de exclusiva: es la Universidad Javeriana, fundada en 1723 por los jesuitas, suspendida más tarde por la obligada salida de éstos del país, restablecida en 1930 y radicada en 1952 en su actual sitio, al norte del Parque Nacional. 15.000 matriculados y 17 facultades.

Hubo un tiempo —principios de siglo— en el que Chapinero era una vecindad de Bogotá, comunicada a ésta por un tranvía de mulas que llegaba hasta la Calle 67 y se devolvía, y territorio de quintas inmensas. Pero en las últimas décadas entró a predominar el comercio, proliferaron las ventas ambulantes y vino a ocuparlo la clase media.

La carrera 13 de la 57 hacia el norte. Abajo, a la izquierda, la séptima ampliada a costa del sacrificio de los antejardines de bellas casonas. Y una novedad de fresca data: la autoridad con rostro de mujer.

La Previsora S. A. Compañía de Seguros, tiene como propósito cubrir las necesidades en materia de seguros del sector oficial. La Fiduciaria La Previsora Limitada desarrolla contratos de fiducia o administración de bienes muebles e inmuebles y dinero de entidades estatales. Recientemente se creó la Fundación La Previsora para la Seguridad Social, que abocará investigaciones sobre seguros para beneficio de la comunidad y del sector asegurador.

Arriba, el parque posterior de la iglesia de Lourdes, sólo tres cuadras al oriente de la agitada vertiente de la Caracas. Diners Club adoptó este huérfano urbano y lo convirtió en un amable rincón. Ya ha empezado a llamársele "Parque Diners". Abajo, el Parque Lourdes, corazón del sector y llamado "Chapi-Lourdes".

*A*parte de ayudar a transformar los hábitos de mercadeo de los bogotanos con sus almacenes de Calle 63, Galerías, Country, Santa Bárbara y otros sectores, Carulla y Cía. S. A., se preocupó de que sus instalaciones resultaran adecuadas para el nuevo sistema. El edificio de la Carrera 7a. con Calle 63 fue uno de los primeros proyectos de esta modalidad que se conoció en el país. Diseñado por Francisco Pizano de Brigard y Roberto Rodríguez Silva y construido en 1955 por Pizano Pradilla Caro y Restrepo Ltda., la obra recibió un Premio Nacional de Arquitectura.

Un humilde arquitecto —según conceptos de la época—, Julián Lombana, le entregó a Bogotá uno de los pocos ejemplos locales de arte gótico-morisco, la iglesia de Nuestra Señora de Lourdes. Iniciada en 1875, consagrada en 1904 y reformada en varias ocasiones por culpa de los terremotos, quedó inconclusa en la última aguja con la que debería terminar la torre central. Fue la primera de más de cien parroquias suburbanas que hoy tiene la ciudad, y es además sede vicarial. En agosto de 1988, al efectuarse la coronación pontificia de su Patrona como conclusión del Año Mariano, este templo adquirirá categoría de Santuario y Basílica Menor.

*E*ste edificio es la sede principal de Diners Club, la primera tarjeta de crédito que existió en el mundo y en Colombia y que cumple 25 años de establecida en el país. Está localizado en la esquina de la Carrera 10 con Calle 64, al lado del Parque de Lourdes, y ha contribuido a mejorar notablemente este sector de la capital. Diners es hoy una sólida empresa financiera, que tiene una red nacional de socios y establecimientos afiliados, edita la Revista Diners y apoya la cultura por medio de la galería de arte y otras actividades.

Diners Club produjo un hecho de importancia urbanística y cultural: adaptó para su galería de arte el Castillo Osorio, entregándole así a la ciudad un nuevo centro de vida intelectual y rescatando una edificación que merecía estar abierta al público.
Este alcázar de piedra reproduce una fortaleza de la Europa medieval, y se construyó hace más de medio siglo en la Carrera 3ra. con Calle 74.
Ahora es motivo de curiosidad permanente por las grandes exposiciones de pintura y escultura que la Galería Diners está presentando en su nueva etapa, por su librería especializada en arte y por su bella capilla adecuada como anticuario.

*C*apilla de Arte. Creada por Colsubsidio,
funciona en la antigua capilla de
Santo Domingo (Carrera 13 No. 49-55), y ofrece
reproducciones de obras de pintores
colombianos y extranjeros, junto con libros de
arte, de poesía y de arquitectura.

*L*a Galería Casa Negret se caracteriza por el impulso
que da a los artistas jóvenes de Colombia.
Situada en la Calle 81 No. 8-70, sus inauguraciones,
siempre muy concurridas, forman parte del
programa de los bogotanos los fines de semana (suele
abrir sus exposiciones los sábados al medio
día). Las esculturas de Edgar Negret pertenecen ya al
patrimonio artístico de Bogotá,
como lo muestran las páginas de este libro.

207

Los barrios El Nogal y la Cabrera están formados por grandes mansiones rodeadas de jardines. Algunas cambiaron de destino y se convirtieron en oficinas; otras, como la de Santiago Medina Serna, conservan el carácter de vivienda. Esta última fue construida por el austríaco Antonio Micheler y reformada por el arquitecto Germán Soto, quien con lujo convirtió la mansarda en un magnífico estadero, introdujo el uso de energía solar, construyó una piscina y respetó la fisonomía exterior.

208

Casi un castillo alberga al restaurante clásico francés por excelencia y el más señorial y antiguo de la capital, el Gran Vatel. Su arquitectura testimonia una época opulenta y acoge a los adictos del bien comer. Carrera 7 No. 70-40. Siempre atendido por sus propios dueños.

Interesantes prolongaciones de la arquitectura republicana se encuentran al norte de Chapinero. Las de estas páginas están en el barrio El Nogal y merecen el respeto del tiempo.

*E*l teatro ronda a Chapinero. Allí están el Teatro Nacional (página opuesta), en la Calle 71 con Carrera 10, y el de marionetas de Jaime Manzur (foto superior) en la Calle 61-A con Caracas; y ahora también el Teatro Libre, en el antiguo La Comedia o Arte de la Música, que con una inversión de 220 millones de pesos se convertirá en el tercero de la capital —850 sillas, tres niveles, escenario de cien metros cuadrados, cafetería, lobby—. En la foto de la izquierda, una obra del Teatro Libre.

El Teatro Nacional, inaugurado hace seis años, ha realizado 1.725 funciones de 58 obras nacionales y 31 internacionales, y 23 especiales de televisión, y ha capacitado a más de 300 niños en su taller infantil. Con el "Festival Iberoamericano de Teatro Bogotá 1988", que será la fiesta teatral más importante que haya vivido la ciudad, se sumará a la celebración de los 450 años de la capital y a los preparativos del V centenario del descubrimiento de América.

*A*mparo Grisales y Carlos Barbosa en una escena de El Ultimo de los Amantes Ardientes.

213

*¿Eaton College de Inglaterra? No, el Gimnasio
Moderno de Bogotá . Fundado por don
Agustín Nieto Caballero en 1920, desde entonces se
hizo clásico su desfile de gala de los viernes.
A veces celebra un "día abierto" para las familias de
los estudiantes, en el que hasta la moda es open.
Su edificio fue declarado monumento nacional en
1985. Su capilla (1950) es un llamativo ejemplo de la
escuela arquitectónica brasilera.*

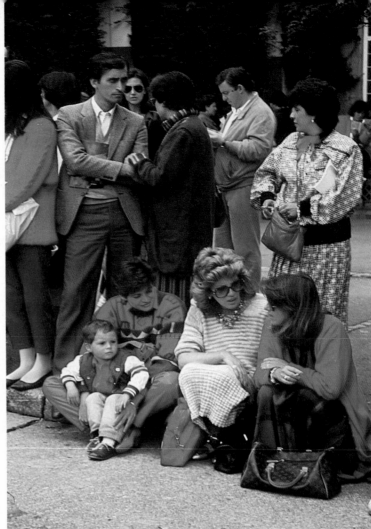

Las nuevas generaciones parecen empeñadas en borrar las últimas señales de "lo cachaco", y los mayores acolitan. La informalidad es el signo de la época.

Ropa manchada, arrugada y desteñida en la fábrica, sacos enormes como talegos y de colores encendidos, camisas por fuera, faldas grandes o pantalones encogidos, zapatos tenis y medias de futbolista, identifican a los muchachos de los ochentas.

217

La Calle 72 o Avenida Chile aparece como una de las principales vías (40 metros de calzada) que comunican al oriente con el occidente de Bogotá. En sus flancos se despertó una fiebre modernista que produjo grandes estructuras para entidades financieras, bancarias y comerciales, que vinieron a reemplazar las estupendas villas que marcaban la vía. Esta remata ahora, en el oriente, con el edificio de Multifinanciera, que emergió sobre el inolvidable estadero "Tout va bien", del que sólo quedó como recuerdo una palma.

Suramericana de Seguros contribuye a la riqueza arquitectónica de la Avenida Chile con este edificio construido por Ospinas y Cía. La obra armoniza con el estilo de este sector comercial y financiero de vanguardia, que es además una de las áreas de mayor progreso y belleza de la ciudad. Suramericana también coadyuva al desarrollo y ornato de Bogotá con los proyectos residenciales que ejecuta en otras zonas de la capital.

*P*or muchos años la tradicional iglesia de
La Porciúncula dilataba sus linderos por fuera de
su gran edificación. Pero en 1972 se
encogió para confraternizar con un nuevo centro
comercial, el Granahorrar, que se
terminó en 1982. Ambos forman un conjunto de
curiosos efectos visuales.
Este sector atrae ya a compañías
internacionales, como la
Occidental Petroleum (derecha), que se instaló
en la Carrera 11 con Calle 77.

221

*El Banco Ganadero inauguró su sede de la Avenida Chile
el 18 de marzo de 1986, al conmemorar 30 años
de existencia. Dispone de sofisticados equipos electrónicos
para sus servicios. Con la iluminación moderna
los vidrios hacen ver el volumen flotando en el espacio. El
conjunto proyecta amplitud y tranquilidad.
Totaliza 26.000 metros cuadrados de área. Constructores:
Toro y Cía. Ingenieros: Quijano e Irisarri.*

*D*esde su fundación, en 1940,
*Ospinas y Cía. S.A. ha urbanizado y vendido más de
18 millones de metros cuadrados,
originando barrios tan importantes como Palermo,
Campín, Restrepo, Chicó, Santa Bárbara y
muchos otros. Igualmente ha construido edificaciones
y conjuntos residenciales que se
convirtieron en hitos importantes dentro del ambiente
urbano, como el Seminario Mayor, conjunto
residencial El Castillo, Belmira, Bosque Medina, El
Ferrol, La Cofradía y el edificio de oficinas Castillo 73.*

224

En la Carrera 7a. con Calle 94 se hace notar el Seminario Conciliar de la Arquidiócesis de Bogotá, de estilo románico, obra impulsada por monseñor Ismael Perdomo entre 1946 y 1948. Esta es la cuarta sede (fue fundado en 1581 por Fray Luis Zapata de Cárdenas). Tiene capacidad para 180 alumnos —actualmente copada.

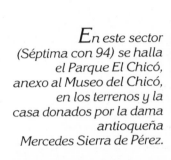

*En este sector
(Séptima con 94) se halla
el Parque El Chicó,
anexo al Museo del Chicó,
en los terrenos y la
casa donados por la dama
antioqueña
Mercedes Sierra de Pérez.*

*Los bogotanos cambian sus casas por
apartamentos. Como consecuencia de este
proceso, los cerros orientales se
urbanizaron y se volvió importante residir de la
Séptima hacia arriba, en este
caso en los alrededores de la Calle 80.*

227

*O*tra evidencia de la alta densidad de edificios de apartamentos que afloró en las estribaciones de los cerros a partir de la Séptima (aquí de la 86 hacia el sur), y que le otorga a Bogotá una fisonomía de urbe moderna.

*E*l hospital más avanzado de América Latina, el Centro Médico de los Andes, creación de la empresa privada por medio de la Fundación Santa Fe de Bogotá.
Atendido por 722 personas, tiene, además de sus servicios especializados para todo tipo de pacientes, un programa de salud comunitaria para los diez barrios de su zona de influencia (15.000 habitantes).

*A*ún quedan muchos bogotanos que prefieren vivir sobre la tierra, en una de esas casas de generosa amplitud que se construían antes, rodeadas de jardines, y en las cuales instalan cómodamente su antena parabólica —otro símbolo de la época—.

229

*B*ogotá es el mayor centro de acopio de las frutas y hortalizas de la Sabana y de todos los productos agropecuarios del país, y cuenta con sitios especializados en comercializar lo más selecto de dicha producción y en presentarlo en forma organizada, cómoda y que garantiza su frescura y calidad. La cadena de almacenes Carulla, por ejemplo, acredita la mejor tradición en esta materia.

El Centro Internacional del Mueble, la organización especializada en muebles y decoración más grande y completa de América Latina, ha dado un impulso definitivo a la fabricación de éstos en Colombia, hasta colocarlos al nivel de los que se exhiben en los principales centros mundiales como Italia, los países escandinavos y Brasil. La sede de CIM en Bogotá forma parte del novedoso estilo comercial de la Carrera 15.

La Carrera Quince es una especie de Coral Gables, una vía comercial en la que se suceden almacenes y oficinas de estilo contemporáneo. En este ambiente (Calle 92 No. 15-15, 2o. piso) atiende Compañía Urbanizadora del Caribe, asociada con Sofinsa —Sociedad Financiera Internacional—, a los compradores de las urbanizaciones que desde hace 25 años desarrolla en una zona de playa sobre la autopista Barranquilla-Cartagena: Playa Mendoza, Villas de Palmarito, Villas de Santa Verónica, Altos del Príncipe y Palmarito Beach Club.

*D*esde su inauguración, Uniclub se hizo célebre
por sus cuatro canchas de squash,
deporte que era poco conocido aquí. Igualmente
se acreditó como restaurante de
excelentes carnes a la brasa, que complementó
con mariscos y un buffet de ensaladas.
Luego agregó un bar, "Los años locos". Está
situado en Unicentro y en la Calle 98 No. 9-03.

*L*a exclusividad del Hotel Charleston está avalada por
Relais y Châteaux, guía internacional que agrupa
hoteles europeos de alcurnia, más que todo castillos
antiguos adaptados. Tener sólo 32 habitaciones
le permitió engastarlas en finos detalles, así como
brindar atención individual y servicios de alta
categoría —incluidos el bar y el restaurante
La Biblioteca—. Su edificio, se inauguró en mayo de
1983 en una vía tranquila, la Carrera 13 con Calle 85.

235

*U*no de los procesos más cuidadosos que se aplican a los cueros colombianos para transformarlos en ropa y accesorios lo implantó hace diez años la empresa Colombian Bags. Sus originales diseños y sus finos acabados han sido premiados en las ferias de Offenbach, París, Tokio, Milán y Nueva York. Esta innovadora compañía cuenta con almacenes en la Calle 19, el Hotel Tequendama, el Chicó y Unicentro.

236

Centro 93. La manzana comercial más selecta de Bogotá.

*En 1893 el joyero alemán Christian Bauer fundó la
Joyería Bauer. Cinco generaciones de descendientes han
mantenido esta tradición joyera por excelencia.
Celebridades mundiales como el Papa Paulo VI, Charles
De Gaulle y las reinas de Inglaterra y Holanda
lucieron sus alhajas, que siempre se han distinguido por su
alta calidad y exquisito gusto. La Joyería Bauer
funcionó en la Calle 12 con Carrera 7a., luego en el
edificio Bavaria, y hoy está en el Centro 93.*

239

El comienzo de la decoración en Colombia —como profesión, como actividad creativa, como negocio— coincide con la apertura de "Bazar", en el año 61, el primer almacén especializado que abrió William Piedrahíta en Bogotá. Hoy con "William Piedrahíta Decoración" continúa presentando a los bogotanos la actualidad de la decoración en el mundo.

240

El Hotel Bogotá Royal es una elegante torre de doce pisos con 80 habitaciones modernísimas dotadas con: cerradura de tarjeta "Ving Card", el mejor sistema contra incendios de América Latina, cajilla de seguridad, escritorio, bar, tres teléfonos, baño de dos ambientes, secador de cabello. Tiene parqueadero para 150 visitantes, centro de información comercial computarizada, secretariado bilingüe, baby-sitters, hotel de oficinas, restaurante, jazz bar y tres salones para banquetes. Situado a quince minutos del aeropuerto Eldorado. Sus cinco estrellas relucen dentro del World Trade Center Bogotá. Se observa ya la construcción de la II Etapa, próxima a inaugurarse en 1989. (Avenida 100 No. 8 A-01).

A cultivar el gusto por el arte ha contribuido la Galería Carrión Vivar, que desde 1975 divulga la pintura nacional y latinoamericana, con originales y reproducciones. Su novedosa técnica de lienzografía o edición de pinturas originales en lienzo auténtico y terminados serigráficos y manuales constituye un aporte a nuestras artes gráficas y ha ganado mercados extranjeros. Arriba, un aspecto exterior de la galería, situada en la Avenida 19 No. 108-45. Abajo, la sala de lienzografía.

La inauguración del Hotel Cosmos 100 marcó un hecho nuevo en Bogotá, la implantación de hoteles de categoría en el norte, y su novedosa arquitectura entró a destacarse en la Calle 100. Comunicado por vías amplias con el aeropuerto y con los puntos claves de la ciudad y administrado por la Organización Hotelera Germán Morales e Hijos, posee 118 habitaciones y nueve suites, tres salones de convenciones y todos los servicios de un gran hotel.

De la Calle 100 hacia el norte, la Carrera 15 refleja la Bogotá de los últimos años: una doble e interminable sucesión de edificios de apartamentos y de boutiques.

Para satisfacer en parte la telefonomanía de los bogotanos, la Empresa de Teléfonos de Bogotá ha instalado en las calles 15.000 aparatos públicos, más de 2.000 para uso gratuito en barrios muy pobres y apartados, 200 de emergencia (policía, ambulancia, bomberos, etc.) y 100 cabinas para larga distancia nacional.

5a. Avenida no es sólo un almacén de muebles, sino mucho más: una sala donde se exhiben diseños de decoración de interiores según las últimas creaciones mundiales, especialmente las de Grecia, Italia, Francia y Norteamérica. También puede ser un lugar de encuentro con Hernando Rodríguez Macías, creador de ambientes estudiados de acuerdo con la arquitectura, el espacio y todas las características de un recinto. Avenida 19 No. 123-46.

*Bogotá es activa de noche.
Como cualquier ciudad cosmopolita
tiene una vida nocturna intensa, aunque
esto no se nota en las calles barridas
por el frío. Hasta la una de la mañana de
lunes a jueves, y hasta las tres
los fines de semana, el público llena los
restaurantes, los bares, las
discotecas, los café-conciertos y todos
los sitios de diversión.
Inclusive la noche de bodas se pasa en
la discoteca, exhibiendo el traje de novia.
Arriba el restaurante "Le Toit" del
Bogotá Hilton.*

En el centro internacional (Carrera 13-A No. 36-51) se abrió el más reciente conjunto de discoteca, bar y restaurante de Bogotá, al estilo de los grandes clubes nocturnos del mundo: Discovery Club. Su distribución arquitectónica, su decoración y su atractivo juego de luces y sonido, lo convierten en una magnífica obra consagrada al esparcimiento de los bogotanos.

En los centros nocturnos no falta la música en vivo, trátese de un conjunto local, como Mango (en la foto), o de agrupaciones extranjeras de moda por el estilo de Las Chicas del Can, Daiquirí o Wilfrido Vargas.

No hay noche sin fiestas, desfiles de modas, concursos de belleza o shows internacionales.

En las discotecas más modernas, las luces y el sonido forman por sí mismos una fuente de atracción.

Desde tiempo atrás los bogotanos son adictos a los bares ingleses, y algunos de éstos, como el Chispas del Hotel Tequendama, tienen el carácter de verdaderos pubs.

El Centro Skandia, construido hace 10 años, se ha constituido como un símbolo de la contribución a la arquitectura moderna y al enriquecimiento estético de la ciudad. En su concepción, la obra aporta no solamente un armónico tratamiento de los volúmenes, sino también funcionalidad y se ha convertido en epicentro de importantes eventos culturales en el país.

250

En el norte, sobre 36 hectáreas, surge esta "ciudad dentro de la ciudad" que integra las actividades fundamentales de la familia: vivienda, trabajo, comercio, recreación y demás servicios que exige la vida moderna. Dentro de la gran unidad urbanística que es Multicentro está el más importante centro comercial de América Latina, Unicentro, con más de 70.000 metros cuadrados de construcción, donde se venden toda clase de productos.

252

En 1977 *causó sensación la apertura de Unicentro, y aún sigue
siendo una novedad arquitectónica y comercial.
Situado en una confluencia de vías del norte (Carrera 15 con
Avenida 127), impulsó un adelanto vertiginoso de su
zona de influencia.
Aloja 279 locales comerciales, 21 restaurantes,
60 oficinas de profesionales, 16 agencias bancarias y una bodega,
cuatro almacenes por departamentos y dos salas de
cine. Diez millones y medio de personas lo visitan anualmente.*

253

*Ir de compras por Unicentro es todo un
programa. Y si no hay dinero en efectivo,
no importa: ahí está la nueva
oficina de Diners Club, solución para
compradores y establecimientos.*

*El Plaza by William (página opuesta)
tiene una trayectoria de 25 años en el mercado de
ropa para hombre, con una línea muy completa
y de óptima calidad en ropa casual y formal, para lo
cual utiliza diseños exclusivos y finos materiales.
También ofrece la confección rápida y perfecta
de vestidos sobre medidas. Está localizado en puntos
estratégicos de la ciudad: Unicentro, Granahorrar
y el centro, y próximamente se situará en los centros
comerciales La Hacienda y Boulevard Niza.*

*U*nicentro es una moda, la de pasear los
sábados y domingos por sus
malls —cosa que les encanta a los
muchachos—, lucir ropa llamativa,
entrar a cine o adquirir cultura.

La casa comercial Lucania, fundada en 1917, ha
evolucionado durante setenta años de acuerdo con las
tendencias de la moda masculina, y bajo
su influencia los bogotanos han ido modificando su
forma de vestir. Cuando la vida de la ciudad
giraba en torno al centro, allí estaba Lucania
señalando los parámetros de la elegancia, y hoy en
día lo hace desde su moderna vitrina de Unicentro.

257

*P*lenitud es una ciudadela moderna e
innovadora integrada a Multicentro, de 346
apartamentos y una gran plazoleta central a cuyo
alrededor gira su vida social (club, capilla,
cafetería, salón de lectura y la torre del reloj), en un
ambiente que recuerda las lindas plazas europeas.
Además, hotel, centro médico, oficinas, lavandería,
locales comerciales, 400 parqueaderos cubiertos,
jardines y zonas verdes. Una obra para la comunidad
y el desarrollo urbano y paisajístico de Bogotá.

258

La urbanización Antigua es un conjunto de casas agrupadas alrededor de hermosas plazoletas y paseos peatonales, de tres tipos de diseño inglés, con acogedores interiores, enmarcadas por lindos jardines privados, amplias zonas verdes comunales y portería permanente.

El Balcón de Lindaraja es una agrupación de estilo mediterráneo con claras evocaciones moriscas, integrada al paisaje verde de los cerros de Suba, que se caracteriza por sus balcones, líneas curvas, terrazas, arcos, muros blancos y tejas de barro. Seguridad, inmensas zonas verdes, árboles, aire puro, juegos infantiles, caminos peatonales y un paisaje con la mejor vista franca sobre la ciudad, se disfrutan en esta urbanización.

259

Bogotá tiene más de media docena de clubes campestres de categoría. El decano es el Country Club, que se fundó en 1917 como campo de golf —el primero de Colombia— y funcionó inicialmente en Sears, luego en El Retiro y por último en la vieja hacienda "Contador" (Calle 129, Avenida 15). En los campos de equitación del Country Club se practican, desde luego, eventos ecuestres, pero también otros certámenes, por ejemplo un concurso de perros.

Club Hípico Bacatá, en el cerro de Suba.

Desde 1944 la Compañía de Inversiones Bogotá ha construido cerca de medio centenar de planes urbanísticos, cientos de miles de metros cuadrados —por ejemplo las urbanizaciones Iberia (arriba) y El Bosque (abajo)— con el respaldo de varias corporaciones de ahorro y vivienda. Esta labor de más de cuatro décadas la liga al progreso de la ciudad y le permite ofrecer alternativas excelentes para toda necesidad de vivienda.

La "M", característica de las obras de
Fernando Mazuera & Cía., se encuentra por los cuatro puntos
cardinales de la ciudad e identifican
sitios de gran valorización y total comodiad, como la
Urbanización Marantá (en la foto), Mazurén,
Nueva Milenta, Modelia, Mandalay, Madelena y Mirandela.
Fernando Mazuera & Cía. urbaniza a Bogotá desde 1966.

Las ciudades dentro de la ciudad originan
avances arquitectónicos para la capital y un mejor nivel de
vida para sus habitantes. Tal es el caso de Urbanización
Mazurén, que se perfila como uno de los proyectos de
mayor futuro en el norte (Autopista Norte con Calle 147).
Avanzará hasta la Autopista Suba, abarcará
5.000 viviendas y tendrá dos centros comerciales gigantescos.
Es otra obra de Fernando Mazuera & Cía.

Centro Comercial Plaza Norte. Sobre la Autopista Norte, calle 185, se construye este centro comercial para servicio de más de 600 mil personas que habitan el sector. Proyecto arquitectónico: Planeación & Diseño Ltda.; dirección general del arquitecto Luis José Riaño Sánchez; gerencia de obra: Estrutec Ltda.; construcciones: Inversiones y Construcciones Gomega Ltda. 56 locales, restaurantes, servicios generales, bancarios y de corporación, además de Los Tres Elefantes y el Supermercado Romy, lo identifican como una obra del Bogotá futuro.

*Como Washington o Salzburgo,
Bogotá cuenta con un bonito camposanto.
Desde hace 20 años Jardines del Recuerdo S.A.
estableció, frente a la Autopista del Norte, un
cementerio con un concepto
diferente, aprovechando el paisaje y la paz que
inspira la Sabana.
El moderno diseño que aquí aparece del
conjunto Los Arcos corresponde a una nueva
idea de mausoleos realizada
por las directivas de la empresa.*

265

En el conjunto residencial Portales del Norte el confort se mezcla con la elegancia arquitectónica para producir la exclusividad. Hasta el más mínimo detalle marca la diferencia en sus bellas casas, compuestas de sala y comedor independientes, tres alcobas amplias, dos baños, cocina integral, antena parabólica y generosas zonas de recreación y deportes. Otro aporte significativo al desarrollo de Bogotá.

*C*onfortables apartamentos con diseños modernos y espacios funcionales (salón-comedor, cocina integral y tres alcobas) y un estupendo supermercado aledaño. Circundados de zonas verdes y emplazados en un sitio de privilegio por su ubicación geográfica y sus vías de acceso, los apartamentos de San José de Barrancas han hecho realidad el sueño de muchos bogotanos de vivir bien.

267

*E*n un domingo de sol, cuando Bogotá se ilumina con una
limpia transparencia, los clubes, los parques y los
campos verdes de la Sabana se llenan de gente. Entonces
en el norte florecen los deportes selectos, como el polo.
El Polo Club tiene una tradición que se remonta al
siglo pasado, con su primer partido oficial en julio de 1897
en el barrio La Magdalena. Ahora, en el kilómetro 13
de la Autopista Norte, celebra torneos nacionales
e internacionales que congregan al jet-set bogotano.

268

*En las pausas del polo, una charla...
¿de negocios?*

*U*na exhibición de carros antiguos en el Polo Club.
Doscientos automóviles como éstos, fabricados entre
1918 y 1958 y afiliados al Museo de Jarras y al
Club Colombiano de Carros Antiguos y Clásicos, harán
parte de un museo que se abrirá próximamente en
la ciudad. La mayoría son de 1940 hacia atrás, y de
origen norteamericano, pero también los
hay ingleses, alemanes, franceses y algunos italianos.

271

*P*uyana & Cía. Fundada en 1937, inició labores
a nivel nacional en 1975 con los vinos
Santa Rita. Dos años después obtuvo la
distribución nacional de Johnnie Walker.
Paulatinamente ha traído otras marcas para el
mercado colombiano incluyendo a San Andrés,
tales como Gordon's, Sandeman, Tacama,
Finlandia. Desde hace dos años montó una de
las plantas más modernas de Colombia para
envase de licores importados a granel,
situada en la Autopista Norte.

Respetables suburbios de mansiones campestres hacia norte de la ciudad.

La Urbanización Sindamanoy se levanta en 382 hectáreas (85 de bosques de especies nativas). Situada a sólo 15 minutos de Bogotá, por la carretera central del norte, frente al club El Rincón, logra la compenetración entre el hombre y su hábitat. Esta construcción campestre, de las más altas especificaciones, gira en torno a ese objetivo central, que será guía para un ordenado desarrollo del norte capitalino.

273

Uno de los factores importantes para el progreso de Bogotá ha sido el desarrollo e integración de su sistema de generación, transmisión y distribución de energía eléctrica llevado a cabo por la Empresa de Energía Eléctrica de Bogotá. La firma consultora Ingetec S. A. ha estado vinculada a este progreso por medio de la asesoría prestada a dicha empresa en el planeamiento, diseño e interventoría de los más importantes proyectos de su sistema. Las fotografías de esta página ilustran dos aspectos de la mayor obra hidroeléctrica emprendida por Bogotá: el proyecto Guavio. En su etapa final tendrá una capacidad instalada de 1'600.000 kw, y para su desarrollo se está construyendo la presa que se observa en la fotografía superior, que será la tercera más alta del mundo en su tipo y creará un embalse de cerca de mil millones de metros cúbicos. En la fotografía inferior se ilustra la caverna de máquinas, en construcción, de más de 40 metros de altura, localizada a 550 metros de profundidad y que albergará las ocho unidades de generación de 200.000 kw cada una.

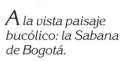
A la vista paisaje bucólico: la Sabana de Bogotá.

*R*odando por la autopista norte, de regreso del autódromo de Tocancipá, la gran ciudad se avecina.

El desplazamiento de los bogotanos hacia el norte, en pos del aire puro de la Sabana, ha propiciado soluciones urbanísticas como la de la unidad residencial La Colina Campestre Tercer Sector, que ofrece el campo dentro de la ciudad. Se trata de apartamentos con el confort de los mejores edificios citadinos, pero en plena campiña sabanera (Calle 138 con Carrera 54), y con un factor fundamental, la seguridad. Proyecto y construcción: Construcciones Pal Ltda.

La Calle 127, que empieza en la Carrera 7a. se llama ahora Avenida Lara Bonilla en el tramo de la autopista norte a la Avenida Suba, donde continúa como Avenida Boyacá. En aquellos contornos hay jardines con casa.

La Avenida 68, con tránsito rápido, puso en contacto dos polos opuestos: el norte y el sur.

Muchos sectores de la capital claman por un puente que los redima de la calamidad de los embotellamientos, que afligen a esta ciudad gigantesca pero de calles estrechas. El de la 127 con Autopista Norte, construido por Pinski y Asociados, resultó clave para una zona de alta densidad de tránsito.

En 1936 empezó a funcionar el Club Aguas Calientes en la hacienda Mariel, de la lejana Suba, y en 1939 adoptó el nombre que lo haría famoso: Los Lagartos. Cuando el IDU inauguró la Avenida Boyacá, el club quedó a pocos minutos del centro capitalino. En Los Lagartos se juega golf a cualquier edad. Tanto de este deporte como de esquí acuático se realizan competencias internacionales. Tiene aguas termales.

280

La ciudadela comercial Metrópolis, construida sobre un área de 32.632 metros cuadrados, es la segunda de la capital. Ubicada en la Avenida 68 con Calle 75, se construyó como un polo de desarrollo mercantil para el noroccidente de Bogotá. Fue construida bajo la asesoría de Multicentros S.A., con todos los avances de los centros comerciales modernos; cuenta con amplias zonas comunales, jardines interiores, 166 locales comerciales, cuatro escaleras eléctricas y tres convencionales, y una cubierta acrílica sostenida por una estructura tridimensional de acero que combina un bello estilo arquitectónico con la luz directa del sol.

*L*a Caja de Compensación Familiar "CAFAM",
en 30 años ha estructurado un modelo de seguridad
social para brindar protección integral a la familia con
subsidio familiar en dinero y en servicios de salud,
educación, capacitación, recreación, mercadeo social
y vivienda, labor que ha sido exaltada en varias
oportunidades por organismos colombianos e
internacionales. En 1971, por ejemplo, recibió el
Premio Nacional de Arquitectura por las instalaciones
del Colegio ubicado en la
Avenida 68 No. 65-81, y en 1979, el Premio Gonzalo
Jiménez de Quesada, por la sede administrativa y
centro de servicios sociales de La Floresta.

283

*P*ocos pulmones tiene la ciudad. Esta urbe de más de seis millones de habitantes y 1.587 kilómetros cuadrados (población y extensión del Distrito Especial) sólo cuenta con nueve parques, con un total de 509 hectáreas, que alojarían a 2.190.000 personas simultáneamente. La Florida (287 has.), El Salitre, El Tunal, El Lago, el Timiza y el Nacional, son los principales.

*En 1934 el alcalde de Bogotá, Jorge Eliécer Gaitán,
inició la construcción del estadio en los terrenos de la finca
"El Campín" que habían sido donados por el concejal
Luis Camacho Matiz en nombre de su padre
Nemesio Camacho. Se inauguró el 14 de agosto de 1938
con el partido Perú-Bolivia de los I Juegos Bolivarianos.
Después de varias reformas, hoy admite 56.200 aficionados
e integra una unidad deportiva junto con el coliseo cubierto.*

286

La pasión de las multitudes, el fútbol, polariza
a los fanáticos en dos bandos irreconciliables, los rojos
de Santa Fe y los azules de Millonarios,
que no caben en El Campín cuando se juega el clásico
de los dos oncenos locales.

Los grandes eventos deportivos de la capital se concentran en el Nemesio Camacho.

¡Llegaron los ciclistas!. El deporte de las glorias colombianas en el extranjero se calibra cada año con la Vuelta a Colombia, que aquí llega a Bogotá en 1987.

Los domingos y festivos los bogotanos salen a las ciclovías no sólo a practicar el deporte nacional, sino también a rodar en patines, a tomar el sol en los prados, a caminar o a "gallinacear", mientras algunos aprovechan para vender frutas o refrescos. La ciclovía empezó en 1984 en la Carrera 7a.

BOGOTÁ PARA PRINCIPIANTES

Antonio Caballero

Tal vez sea cierto que, en tiempos, Bogotá era una ciudad fea y fría, sombría y gris, de cielos lívidos que dejaban caer una lluvia incesante sobre muchedumbres sórdidas vestidas todas de negro. Pero los bogotanos, que son muy pocos entre los cinco millones de habitantes que tiene la ciudad, no la han visto jamás de esa manera. Esa visión siniestra no es más que el resquemor de la provincia: "No hay derecho: estos cachacos, además de vivir en Bogotá, la hicieron en el sitio más bonito de Colombia". Y es por eso que la palabra "cachaco" es un elogio en Bogotá y en el resto del país es un insulto.

¿Fea, Bogotá? Tiene, sin duda, esa fealdad monótona de las grandes ciudades: pero nadie juzga la belleza de Londres por sus calles y calles y calles de casas proletarias negras de hollín y de tristeza y atravesadas sólo por el estruendo de los trenes subterráneos —o, en el más favorable de los casos, elevados—; ni la de Leningrado por sus panales grises de alcohol y hastío. Y tiene también, sin duda, la fealdad pintoresca y terrible de la pobreza absoluta, como Río o Calcuta:

barriadas miserables de infancia abandonada y aguas negras. Pero esas son fealdades, digamos, estadísticas: cinco millones de habitantes bastan y sobran para hacer espantosas a París y a Estambul, a El Cairo y a Chicago. Y es posible encontrar en Bogotá, también eso es verdad, llagas particularmente repulsivas causadas por las autoridades municipales (que en su caso se llaman distritales): pero la acción destructora de esa cosa terrible con ese horrible nombre —autoridades municipales— no la resiste indemne ni siquiera Venecia.

Fuera de eso: ¿fea, Bogotá? Una ciudad aérea que se encarama a las cumbres de la cordillera y se asoma al espejo verde pálido de la sabana, como quien se mira en las aguas de un lago. La sabana es ancha y apenas ondulada, cuadriculada por hileras de eucaliptus y sauces, acribillada de vacas y ciclistas. Más arriba de la barrera encrespada de los cerros, los cielos bogotanos son luminosos como plata bruñida, o despiden el fulgor húmedo y apagado del estaño, o son de un frágil, tenso azul mineral, por el que navegan lentas nubes de acero como buques de guerra, incandescentes en todas las aristas. Cuando llueve —pues es verdad que llueve: lloviznas flojas de páramo que ponen a brillar una gota de agua en el filo de cada hoja de árbol, en la punta de cada brizna de hierba; o súbitos diluvios titánicos que convierten el estadio de fútbol y la plaza de toros en lagos erizados de miles de paraguas negros y relucientes; o granizadas que arrasan los geranios y dejan los jardines crujientes de blancura—, cuando llueve, Bogotá se prepara para el sol que vendrá: pues no es una ciudad como hay tantas, en la que salga el sol una vez todos los días, sino que sale varias. Sale, temprano, por el cielo todavía verde de los cerros todavía negros y nocturnos; o rompe a media tarde entre jirones destrozados de nube. Y es el sol restallante y metálico de los cuatro kilómetros de altura que lame y acaricia los colores, aviva el rosa oscuro del ladrillo y el rojo pardo de la teja, lava los negros y renueva los jugos de los grises, y hace que los verdes tenues y tiernos rezumen luz sobre los verdes negros, como capas de agua sobre agua en el mar. Es un sol deslumbrante, pero siempre discreto. Como debió ser concebido el sol en un principio: para calentar al sol y refrescar a la sombra, sin los excesos del sol de la tierra caliente, sin el sudor ni el polvo; que no sofoca ni aplasta ni destruye, sino que se dedica a dibujar con calma sombras azules sobre los prados verdes.

Una ciudad gris, decían: mortecina, de gente de sombrero y ropa tiesa de paño. Pero lo cierto es que el gris de Bogotá es solamente un recurso estético para hacer que resalten los colores, como en los cuadros de Velázquez. Toda la gama de los verdes húmedos, los rojos violentos, los amarillos primarios y rabiosos, los azules eléctricos y los rosados soachas: no es un azar si el matiz más estridente que es capaz de rendir el rosado ha sido bautizado con el nombre de Soacha, ese suburbio pueblerino que tiene Bogotá por el lado del sur. Porque es la nuestra una ciudad de colores intensos y temibles, impúdicos, obscenos en la luz cruda y dura de la alta montaña. Colores rechinantes en las paredes de los billares del centro y en los pantalones de las quinceañeras del norte, colores ásperos y sin curtir, de violencia desnuda: verdes biches y amarillos chillones en las ropas deportivas de las ciclovías de domingo, naranjas fuertes, índigos y morados, en las ruanas fosforescentes de las marchantas de la plaza de mercado o de los celadores nocturnos de escopeta. Bogotá tiene, todos juntos y revueltos, los colores de todas las frutas que venden en carretas en todas sus esquinas: aguacates y mangos, naranjas, guayabas, piñas y granadi-

llas, plátanos y mamoncillos, chirimoyas, mandarinas, cerezas, curubas, papayas, patillas, pitahayas, zapotes, uchuvas, nísperos y ciruelas y limas y feijoas— y detrás, los tonos mansos y temperados de las peras de agua, las manzanas chilenas, los albaricoques importados, los limones amarillos y las hojas de menta. Hay ciudades doradas, como Roma, o plateadas, como París. Bogotá, donde el paso de la historia no ha tenido tiempo para apagar los tonos y difuminar las tintas, revienta simultáneamente en todos los colores que tiene el arco iris. Cualquiera de esos arcos iris que, como por ensalmo, asoman por las tardes después del aguacero en el boquerón de Cruz Verde o en las sierras del Chicó.

Y ese mismo desorden, ese abigarramiento sin control, tienen también en Bogotá la flora, la arquitectura, la fauna urbana. Es una ciudad hecha de mil barrios que han ido edificándose a ciegas, y de oídas, al capricho de los aluviones de inmigración, de las influencias contradictorias del azar y el recuerdo. Barrios de casas sólidas de la Nueva Inglaterra, de altas casas rojas de inspiración vagamente holandesa, o quizás tirolesa, de casas blancas y bajas de estilo colonial californiano. Casas de muchos patios abiertos al ventisquero del páramo, de teja de barro y balcones corridos de madera torneada, y pequeños castillos del Loira con cucuruchos grises de teja de pizarra, y terrazas romanas con palmera y con loggia, y empinados tejados finlandeses para las grandes nevadas de la noche polar, y fachadas antillanas de filigrana de hierro pintadas de colores, y columnatas de columnas dóricas, jónicas y corintias, con volutas de laurel y de acanto, labradas en la piedra. Palacetes franceses del siglo XVII. Rascacielos de vidrio de aspecto panameño. Ranchos tejanos. Cortijos andaluces. Caserones republicanos. Refugios alpinos. Pabellones de caza de los Cárpatos. Jardines japoneses con puentecillo de bambú en cemento armado y enanos de Walt Disney a la sombra de grandes hongos de metal colorado. Espadañas de calicanto, áticos de ladrillo, torreones de piedra, tugurios de cartón y lata corrugada. Patios de Córdoba con fuente y azulejos, mansardas de París, búnkeres de Berlín, mezquitas de Bagdad, pagodas de la China, sinagogas de Miami, templos de Karnak, mastabas babilónicas, casas de campo inglesas traídas desde Surrey con zorros y caballos y encajadas entre un coliseo cubierto y un multicentro comercial con parqueadero subterráneo y galería de cristales para el café vienés.

Y todo eso no está ahí para siempre, sino que cambia cada noche, y cada día es distinto. Todo es provisional. Mientras escribo, en torno, en Bogotá —en lo que hasta hace unos momentos era esta Bogotá que aquí describo— todo el tejido urbano está cambiando inexorablemente, como una cosa viva. Una de esas casas republicanas o californianas o inglesas está siendo derribada para abrir campo a un edificio de apartamentos de lujo con garita de guardia para los celadores y parqueadero para los visitantes. Ya está desentejada, y las volquetas de escombros arrasaron ya el jardín con su rosal amarillo y sus surcos de hortensias azules, y un cerezo. Cuando terminen de caer los muros del traspatio se podrá ver, erguido entre el polvo y las ruinas, el extraño tronco encorvado de un papayuelo agrio, irrepetible como un árbol marciano; pero que será de inmediato reemplazado por algo más de moda, como un amarrabollos, o un sietecueros, o un magnolio.

A través de ese cambiante caos urbano, y sorteando las zanjas abiertas en las calles por las empresas de servicios públicos, contorneando conjuntos residenciales cerrados con calles ciegas custodiadas por guardianes privados, evitando los barrios de invasión, ignorando el parpadeo sin orden de los semáforos, circula por toda la ciudad la masa de sangre de la vida. Muchedumbres en mangas de camisa, en chaleco antibalas, en abrigo de piel, buses rojos y azules que reciben el nombre de buses amarillos, busetas incendiadas, tractomulas de veinticuatro ruedas cargadas de flores o de armas o de caballos de polo o de carreras, carretas de mano y zorras tiradas por caballos cargadas de basuras o de leña, Mercedes blindados seguidos por bandadas de guardaespaldas, vendedores de lotería y de cigarrillos de contrabando, buses de niños de colegio o de músicos de la orquesta sinfónica, carros de balineros empujados por ancianos de ruana y alpargates. En los atascos, un niño pobre ofrece por la ventana de los automóviles detenidos un manojo apretado de florecitas de monte y hojas duras de arrayán, envuelto en una hoja peluda y mojada de rocío de frailejón del páramo. Y es el atasco, más que el movimiento, el modo de circulación de Bogotá. A causa de la lluvia, que desborda las quebradas y convierte las calles en torrentes hasta cegar con piedras y troncos arrancados al monte el paso de vehículos. O de los taxis antiguos, varados en mitad de la calzada. O de la larga cola lenta de un entierro elegante. O de un grupo de teatro callejero que ocupa todo lo ancho de la calle. O de la marcha de protesta de un sindicato ilegal. O de la acumulación infranqueable de vendedores ambulantes de relojes o de empanadas, de libros de Vargas Vila y Mao Tse-tung y números antiguos de *Playboy* y *Selecciones*, de mantas ecuatorianas, de cuadros primitivistas, de seviches de camarones del Pacífico y de ostras de la Ciénaga.

Y cualquier cosa puede estar sucediendo allá adelante, más allá del atasco. Un atraco bancario o la presentación de un baladista argentino, la fiesta de cumpleaños de un mafioso o el asalto a la catedral primada por un comando guerrillero, la captura del elefante escapado de un circo, el entierro de un torero, el linchamiento de un carterista, la instalación formal del Parlamento, una toma de tierras para un barrio pirata o la inauguración de un nuevo parque para los enamorados o de un templete eucarístico para las conferencias episcopales o de un circuito de motocross o de un hipódromo, una erupción volcánica o la visita de un Papa. Son cosas que en Bogotá suceden casi todos los días. Una vaca pasta indiferente en el separador de la avenida, un albañil de casco de plástico amarillo duerme la siesta o retoza con la novia en medio del fragor de los carros que pitan, de la gritería de los payasos en zancos que anuncian las rebajas, del estruendo de cobres y vientos y tambores de la banda de guerra del batallón guardia presidencial que ensaya el himno nacional, en medio del aroma penetrante y complejo de gasolina quemada, de dulce derretido del algodón de azúcar, de grasa caliente de fritanga, de sudor de esperanza de los peregrinos que trepan de rodillas al santuario milagroso del Señor de Monserrate para pedirle una gracia. Son cosas que suceden en Bogotá todos los días, y que a nadie sorprenden.

No es una ciudad seria. No puede serlo, una ciudad en la que crecen codo a codo los eucaliptus y las palmas de cera, en la que el papel sellado se vende en las salsamentarias, los insumos agrícolas en las notarías de circuito, el aguardiente en las ferreterías. Una ciudad que tiene tantos billares como juzgados, y más universidades que las que caben en toda la Europa Occidental, de Praga a Oxford, pasando por París y Padua y Salamanca. Una ciudad en la que se cambia de clima y de época cuando se cambia de barrio, en la que coexisten las peleas de gallos y la escanografía, y que está circundada por una carretera que avanza serpenteando al filo de los cerros entre encenillos y retamos, arrayanes y uchuvos silvestres, para estrellarse contra el tronco de un árbol donde esperan piratas tan feroces como los que hace un siglo merodeaban en los mares de Java.

Si una ciudad así tiene fama de aburrida y envarada y solemne, la culpa no es suya. La culpa es de sus gobernantes, que nunca son de aquí, sino que vienen de los llanos, de la costa del Caribe, de las zonas cafeteras de la cordillera Central. Porque Bogotá, desde que fue fundada hace ya cuatro siglos y medio por un granadino de España, ha hecho siempre traer sus alcaldes de otra parte.

*Bogotá, trece años antes
del siglo XXI: toda locomoción
terrestre ha sido inventada.*

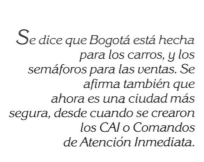

Se dice que Bogotá está hecha para los carros, y los semáforos para las ventas. Se afirma también que ahora es una ciudad más segura, desde cuando se crearon los CAI o Comandos de Atención Inmediata.

El proverbial ingenio de los bogotanos se expresa también en su inventiva para sobrevivir. A este despliegue de la economía de la pobreza le llaman ahora, eufemísticamente, "economía informal".

Un millón de niños y jóvenes asisten a clases de preescolar, primaria y bachillerato en Bogotá.

Legiones de obreros siguen construyendo a Bogotá. Al medio día, después de su almuerzo proletario, el músculo duerme o la ilustración trabaja.

El eterno femenino, uno de los mayores encantos de la ciudad.

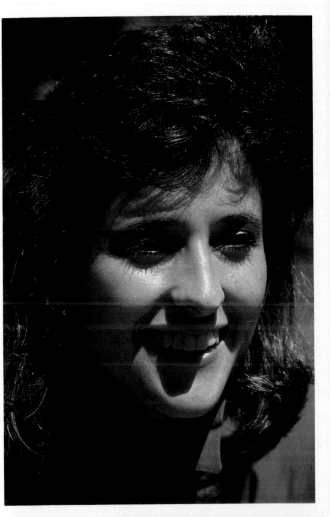

From the time when organ grinders, bird sellers, gypsies and the harmless insane, loose in the city, filled the deserted and lovely streets with the echo of their melancholy litanies, in a Bogotá that dreamed it was London —that was in 1938—, until today, when the great capital does not remember the game of the wheel of fortune with its fatal testing of destiny, only fifty years have passed, the life time of a man —three generations born— but also a long historic half century. However our approach to time past may be, one thing is sure, that from that fourhundreth anniversary to this new commemorative milestone, Bogotá went from three hundred thousand inhabitants to four million. From village to metropolis. From a rustic, resigned and cordial society to a chaotic violent confrontation, yet with hope of survival and progress.

In that remote year of 1938, nobody —not even the provincial soothsayers— could possibly have foreseen the destiny of Bogotá. Neither could the wandering bird sellers, in whose cages canaries and parákeets vied for the honor of giving the anxious client the circumlocutory message from the stars. And neither could the major architect of the century, Charles-Edouard Jeanneret, Le Corbusier, whose urban horoscope in 1949 did not last five years of the impact of the rush of immigrants that, driven by the times of violent politics and the urge for progress, transformed the obscure village into the glittering battle field of the new generations, polarized between rock and the equally important "vallenato" music.

The "Almanack of Bogotá and Guide for Visitors" from the year 1867, says that at that time Bogotá had 2,720 town houses, 32 country houses, 30 Catholic churches and one prayer hall for protestants, six town squares, nine small squares, six public baths, three cemeteries, one telegraph and 40 thousand souls. The town was divided into four parishes: The Cathedral, Las Nieves, Santa Bárbara and San Victorino; the schools were directed by don Ricardo Carrasquilla, doña Belén de Ortega, don José Joaquín Ortiz and don Lubín Zalamea; and their amusements —preceeded by fireworks and thunder— were divided between elegant soirees, bloody cock fights and Te Deums with orchestra.

The dark and cold city that Gabriel García Márquez and Plinio Apuleyo Mendoza describe in these same pages, supposing it ever existed, is leaving no trace, as the old *bolero* goes, another typical musical expression of Bogotá in those times. The *"cachacos"* is the nickname with which the traditional "adversaries" from the coast —and who does not remember those epic soccer games between the teams from the coast and the teams from the capital?— wished to diminish the elegant inhabitants of the savannah on the high plateau. Cachacos do not accept easily the "memories" of our great writers from the coast, genuine or adopted, that they foist on the, for them, pretentious capital.

The flood of immigrants came from all parts, and they modified everything, even the climate. People from Tolima, Boyacá, and Caldas were the first ones. Among the latter came the only one capable of guessing at the future of Bogotá: Fernando Mazuera, a generous gentleman from Pereira who felt preordained to channel the anarchy of the city. Thanks to him, to his enormous and constant effort, this giant melting pot of races, regionalisms and inequality that Bogotá is beginning to be, born of the 9 of April, also becomes the greatest crossroads of the country... The grand avenues, with which the Bogotá Mayor by autonomy, emulating the Parisian Barón Haussmann, traces the future of the city, become the arms that the village uses to reach for its destiny as metropolis.

Bogotá, city with a cool head and hot blood. A unique city, singular, spiritual and sensual. A strong city, used to luxury and poverty, sceptical, ironic, dense in the large kitchens of its popular restaurants, where grilled meats, pastries and cakes without number reveal their calling as gran bourgeoisie. A gloomy city, as well. A city of political infighting and unpunished crimes. A city that made Nariño and Bolívar cry. A tragic city: every half century a terrible death shakes the plot of its history: Silva, Uribe, Gaitán... An open and yet secret city. A city of public monuments and hidden commemorative plaques. A badtempered and frenetic city. A city ostentatious and squalid in spades. A city of struggle for life and death. Cultured, serious, dark and lighthearted at the same time, burning and passionate, Bogotá seen from Monserrate is a big anthill where each inhabitant plays his role in the drama orchestrated by chance. A kitchy city, bright with graphites; in the twilight the silhouettes of the huge skyscrapers impose a landscape of fireflies that play a game of Chinese shadows. A city of young people and street urchins, whose triumphant laughter is a confusion between heavenly hope and diabolic rictus. A city of architects. Of brick, stones and adobe. A city of churches and of dark orgies. A city of virtue and of sin. Removed from all charity, it only rewards the survivors. Loath to accept the deceptions of their politicians, every four years they change the idol that they invent, only to kick it out later. A city of universities and academies, that feed their vanity with the erroneous name given it by Miguel Cané: "the Athens of South America".

A feminine soul, Bogotá has its five senses. She has a face, a look, a voice, a taste and a flavor. She flirts with the writers, but still she is waiting for the García Márquez that Tamalameque, Mompox and Barranquilla found.

The Bogotá atmosphere, —equatorial light, translucent at sunrise, raw and brutal at noon, bright in the afternoon— for years has shown luxury in the north, tumult in Chapinero, quiet dignity and ancestral poverty in La Candelaria, feudalism in certain fields in the south, misery in the east and the west.

The Bolívar Plaza has gathered all the country's history, and is, since 6 of August, 1538, when the conqueror/scholar Gonzalo Jiménez de Quesada founded the city, the authentic center of the city, its historic head, which often has left it to the heart only to think. In the center of town the noble statue of the Liberator is testimony of commotions, battles and implacable changes. Bathed in blood of the martyrs, it has seen the triumphs and defeats of Nariño, Bolívar, José Hilario López, José María Samper, Mosquera, Núñez, Reyes, Olaya, López Pumarejo, the Llerases, Gaitán, Belisario Betancur... In 1960, Fernando Martínez revives its character of vast public space for civic and political use. Simple and austere, it reflects, like the solid Cathedral, what we are, or should be, as Colombians... Further up is the small Plaza of Nariño, and toward the other side of the palace, yes, there is the memory of the grandest and noblest of Bogotanos, don Antonio Nariño: "A man of manners and a talented newspaperman, brave without making a show of it, lettered without bragging, dignified in triumph, proud in defeat, thoughtful in life and courteous and elegant to his death" according to Daniel Samper Ortega.

In 30 years Bogotá absorbs 44 thousand hectares, with a density of 2,800 inhabitants per square kilometer, while every year 35 thousand people keep coming and construction is going on at a dizzying rate, from 15,267 new constructions in 1982 to 37 thousand in 1986. Thus, with time, Bogotá comes back to its specialty as the city of meetings. Once the period of consolidation of a new society that arises on pure luck, and the shock of people coming these last years, are over, the Bogotanos who have survived this urban catastrophe, partly slowed down by Belisario Betancur's government, begin to rescue the streets. The young people discover the pleasure of conversation in cafes and restaurants, in squares and parks, in the streets closed for biking on Sundays, where also can be seen the urge to compete and to participate in sports that characterize every inhabitant of the city. And the city is its people, their history, small or big, the places of gathering, the human interaction, the restaurants and cafes, the hotels and houses, the balconies and gates, the churches and bell towers, the shops, stores and boutiques, the commercial galleries, the theaters, libraries and museums, the magazines and newspapers, the universities and schools. Bogotanos are above all people that do not shy away from fatality, that always answer history's challenges, that go forward, that overcome sordidness and misery, that are framed in the real and marvellous, always Latin American vision, real and at the same time fantastic, another reality. Imagination and violence that, from the miserable slums into the shining light of the city, throw down a challenge of a new society coming forth. From the hills the forest of television antennas gives the huge city the silhouette of a ghost ship sailing into the red twilight of eternity... But Bogotá is anchored in its own history, in its 450 years of greatness and servitude, in its past of glory and ignobility. Here it is, nestled in one of the most beautiful corners of the earth, struggling, loving, hating, living...

Alberto Zalamea

305

This is what our city was like,

it was cloudy and rainy, just 500 meters below the perpetual snows. It had a central clock tower, and a main street on which pedestrians umbrella in hand dressed in dark colours, spoke in very low voices and went to bed at eight o'clock at night.

It was said that we were one million people, who managed to make a living in many different ways. We had our very own way of being festive: on holidays we would go to mass, toll the bells and light fireworks in the neighborhoods —the fireworks of happiness.

...in the morning there was an hour that seemed to have been put in parenthesis in time: the coffee hour. On the 5th parallel, the same latitude the aborigines in New Guinea were feeding on human flesh and opium was being smoked in Singapore, solemn over-correctly dressed men talked about a subject that in our city was always new and always primitive: politics.

The scholars had told us: "Look at the cover of its books and you shall know the city inside". Obeying this lesson could lead to the discovery that the spirit of the city was made of sentimental verses, scientific journals and stories about interplanetary adventures. But, in spite of the scholar's transcendentalism, the anecdote is better: the client who by a professional deformity would furtively look at the last page of a detective novel, to find out who the murderer was without buying the book.

On Monday there was a certainty that filled us with fortitude: sooner or later it would be Sunday again.

Just like all inhabitants in civilized cities of the time, we were more concerned with the present than the future. We knew, with a few hours difference, what was the point of view of the Pakistani Chancellor. We believed in the printed word, the buying power of money and the need for sleep. We never knew if that was our best fault or our worst virtue.

There was a certain hardness to our way of progressing. We would do it by jumps, without being sure where we were going to land. But this was the only way we could do it, and so we came to have a modern city with its past right around the corner.

We weren't even surprised when one day the children, perplexed, asked us why firemen had become so sinister.

It rained cruelly in our city. Hours could be spent by the window, waiting for something to happen, and nothing would seem different than just rain. Ten or twenty years could pass and the spectacle would remain the same. But it was worth waiting for: sooner or later something incredible would happen.

Then, for a moment, we were happy with the joys of idleness: stretching out on the grass eating with our hands, having our picture taken so for the rest of our lives it could be used as a reason to laugh at ourselves, sleeping in the shade of the trees with a hat on our face, dying of unlikey loves...

There was at least one thing in which our city was like all the cities of the world: the empty and endless Sundays. We tried, uselessly, to fill them with insignificant actions...

...Eschewing the inclination to stay home alone, we would wander out in search of company, and sometimes we were happy on a Sunday at three in the afternoon, alone in the crowd...

Believing the only thing to come afterwards would be the deluge, the mistake could be commited by simply closing the window. One could miss a movie-like scene that in our city would have been phantasmagorical if it had been a scene from real life...

...and a scene from real life that would have been a fantasy in the movies.

For many years foreign visitors would publish the substantiation of the statistics registered year after year in their newspapers: there were more men than women in the streets.

But we were hurt that there were no statistics for the exceptions. They could have proven the astonishing and fleeting instant when the most beautiful woman in the world passed through the streets of the city.

307

Bogotá memories

By Plinio Apuleyo Mendoza

Somehow or another our families came to the city from the provinces, except for the families who were true *Bogotanos*. As in France, where a castle belonged to a family by traditional right from time immemorial, Bogotá belonged to surnames such as Holguin, Pombo, Urrutia, Nieto, Calderon, Carrizosa, Sanz de Santamaria, Uribe, Umaña, Caro, Caballero, Soto, Salazar, Vargas, Piedrahita, Kopp, de Brigard, and others who were the cream of society.

In this city of well established families, those who arrived from other regions, (such as Boyaca, Tolima, Caldas, Valle or the Santanders) with dust from the road still on their lapels, were the newcomers. True *Bogotanos* did not resemble anyone in the whole country. They looked like themselves, and maybe a bit like certain elegant Englishmen in the movies. Their pink, healthy looking faces seemed to be lit by the fires of good whiskey and fresh air from the savannah, where they had estates and foremen who took orders from the heights of their fathers' horses. As they aged, their greying hair did not have the tired ash colour our grandfathers from the *paramo* had, but vigorous flashes of silver. They breathed class and prosperity.

Their apparel was admirable; suits tailored in London with elegantly bound lapels that did not look flat and shiny. They wore "Look" hats, "Trumble" ties, and carried "Brick" umbrellas they had bought at the Pombo's, Carrizosa's or at the Ricaurte's. They wore handmade shoes from London that shone like mirrors and smelled like new leather. The type of shoes made for walking on thick carpets at the Jockey and Gun Clubs or for walking carefully on the Bermuda grass at the Country Club on Saturdays and Sundays.

They didn't stay very long in the brick houses that at one time had porticos and garrets rising above the National Park and the Magdalena neighbourhood, because as soon as Don Pepe Sierra's estate was urbanized they started building modern-style houses in the Cabrera and Chico neighbourhoods. Bay windows overlooked green gardens with well-tended lawns and tall trees. The dogs that barked the door down when visitors arrived were not the vile halfbreeds from the provinces, but animals with a pedigree worthy of being in English portraits. Inside the houses there was a seasoned yet British atmosphere. Logs burned in the fireplaces. Greyhounds and Victorian figurines in Royal Dalton or Weedgood porcelain graced tables and mantlepieces. Even when the first whiskey was served or at teatime, the evening breeze seemed whispery and British.

THE WOMEN

Everything they had was different. If their houses were light and spacious, the houses in Chapinero or downtown belonging to provincial people, who came to live in Bogota (first by the hundreds, then by the thousands, then by the hundreds of thousands), were dank and dark.

They had budding roses in carved crystal vases; we had humble geranium baskets. They, in their secluded northern neighbourhoods, always had sunshine; we had the rain gurgling in the patio drains. They had sunny, breezy Sundays under Country Club or Lagartos Club parasols; we had masses at Veracruz church, matinees at the Apollo, and after the movie, rain rolling down from Monserrate mountain. Colours belonged to them. Colours were in their clothing, in the vain and joyful combinations of burnt siena, beige and green, of pearl grey and blue, of blue and burgundy, of violet or yellow. Our provincial families were still clinging to the funerary flannels left to us by the pettifoggers from Castilla.

The fascinating women from Bogota's society had no resemblance whatsoever to the *señoras* in black dresses that made up our feminine landscape. In reality, the only thing that resembled Bogota's young damsels during the forties were a few movie actresses. The girls had something of Gene Tierney or Vivian Leigh in their eyes, lashes or in the delicate lines of their mouths and noses. In those days they wore curls softly drawn from their faces, platform shoes and tailored suits with emphatic shoulders. They swooned for Tyrone Power, Robert Taylor and Clark Gable, just as their mothers had swooned for Valentino and Gardel. Their true loves, young men with brillant surnames, were lived in the sentimental atmosphere of the latest tangos and great boleros by Agustin Lara and Elvira Rios. "Lady, if you can speak to God..." was played by big bands at the Granada Hotel and La Reina, a fashionable cabaret of the times.

We were too young to go to La Reina, but something told us that in the shadows of the cabaret and in the music of the boleros, love affairs were sparked and quenched. Scandals would fly through Bogot's society: Mary so-and-so had been caught kissing someone else's husband; someone was being betrayed. The girls that had been educated in Paris before the war were tantilizing. They are too loose, the *señoras* whispered with disapproval. These girls made their husbands nervous by saying daring things. Or they would dance too close to the men. They acted like French women.

Facing the armour-plated chastity of the "good" girls, men in Bogotá as fellow conspirers, had sexual adventures with beautiful women from the gay life. Each generation had a scarlet woman. Nobody knew how or where they came from, but there they were, ruling the city in their own way with the exciting knowlege of male manipulation. They were wonderful lovers. Public figures and young men from good families were scorched by their charm; they burned explosively, like gunpowder. These women became legends. Politicians became enemies because of them. When future presidents were still young bohemians, they would cry jealously for them. At their wanton parties, prominent orators would use sheets for emperor costumes. Men would be driven to drink, lose their fortunes and even shoot themselves because of these women. From the time of the Ibañez girls' on, Bogota always had its scarlet women. This was before things changed. Women from the new generation were easy.

Along with unscrupulous women, there were singers from the Spanish Zarzuela companies who performed at the Colon Theater. They invariably had green eyes, a mole on their cheek and another one painted on some obscure latitude, somewhere north of their right knee. It could only be seen when the owner lifted her petticoat coquetishly while she sang Maria Fernanda. There always was some dazzled young man from a good family pursuing the two moles. His parents would catch him in the nick of time as he prepared to board a boat in

Buenaventura, following the company and the singer, whom the *señoras* in Bogota referred to despectively as "a comedienne".

TWO DIFFERENT WORLDS

I would have never known Bogota's old and authentic dynasties if my father had not married, for the second time, a beautiful girl who belonged to these families. My father landed in that world with the same cheerful demeanor he used with the farmers from his village. This is how throughout my childhood, without leaving the provincial world of my aunts from Boyaca, I was able to hear and observe for many a Saturday and Sunday: the men and women from Bogota with brillant surnames.

But I would have to write a novel to describe it all. In the world of Holguin, Nieto, Pombo, Umaña, Borda, Calderon, Carrizosa, Urrutia etc. I would hear mention of a grandfather, a father or an uncle who became a skeleton in the closet after losing a fortune in europe at the roulette table and bathing horses in champagne. Skeleton and all, they would say, he was a great guy and a gentleman. "Poor Ernestina" (or Carolina, Etelvina or Josefina, always followed by one of those surnames), they would sigh. "She had to go through hell and high water to raise her children after their downfall".

There were lands belonging to those surnames. Memories of vast properties on the savannah, houses on Calle Real, estates in Cundinamarca and Tolima; memories of promenades and hunts, of dinnerware and tablecloths from Europe, of Sundays at the Magdalena racetrack, Christmas in Serrezuela or Penalisa; of trips to London and consular appointments to Antwerp or Brussels. There were misfortunes too; a suicide in the family because of a lost fortune or an aunt who became an old maid or a nun because the groom had died tragically on a hunt or crossing a river on the eve of the wedding. Her beautiful bridal gown in Swiss crinoline with bone lace and satin ribbons was left in a closet.

According to the value system we inherited from colonial times, the family name and manners determined who was a gentleman and who was a nobody. Talent, money or civil service was not criteria for these values. To my amazement a nobody could be an executive, a writer and even the President himself: "Your grandfather was Papa Eusebio's driver," I might hear from someone. It was a judgement that could not be appealed.

I was fascinated by values that were so different from those of my poor provincial aunts. Every Saturday and Sunday I would submerge myself, as a timid spectator, in the upper class atmosphere of Bogota. Men and women dressed wuith casual elegance as if they had just come from a polo game. They played bridge and canasta, drank whiskey, had good health, prosperity, and talked about a Bogota that belonged to them from time immmemorial.

The Bogota that belonged to the aunts that raised us and their many emigre relatives from Boyaca, was different. They represented a humble class: the so-called decent people from the provinces, who had been assimilated into the medium of small urban bourgeoisie. They were lawyers or civil servants for the Ministries and other governmental agencies. They always wore their sad, dark flannels and hats, which they removed respectfully when they greeted someone or got on an elevator. They

traveled on street cars, bought avocados for lunch and had hot chocolate with *almojábanas* in the afternoon. They laughed at Luis Enrique Osorio or Campito's comedies at the Municipal Theater. They were obsessed with chills, wrapping bandages and iodine based syrups. They read Calibán, *Selecciones* magazine or the Bristol Almanac. They followed the exciting, serialized chronicals, "The Mystery of the Scarlet Truck", Doctor Mata's crimes and the inquiries of a famous detective called Chocolate in the newspaper *El Espectador*. And at seven o'clock they listened to "the Latest Report" on the radio. The news director, Romulo Guzmán, alternated sarcastic innuendos with commercials that sounded like: "Cutilina doesn't stain, Cutilina doesn't burn, Cutilina doesn't burn, Cutilina will get rid of your itch".

In the honest and rigorous middle class world there was a real passion for funerals, rheumatisms, kidney or bladder troubles, and they lived in constant fear of losing their jobs. "The Windmill" or "The Black Cat" were examples of those dark, smelly downtown cafés where men spent hours talking, about Santos, López, Laureano, the Mamatoco murder, then about Gaitán or Turbay, and every chance they got they talked about the inevitable Liberal Convention at ciernes. La Cigarra café, at the corner of 14th and 7th Avenue, was a hotbed for political gossip. On Sundays they would listen to *porros* played by Galán and Lucho Bermúdez on "The Coastal Music Hour", which actually lasted a few hours. They listened to Taps played at the National Park, they went to Usaquén for *chorreada* potatoes, to bullfights and soccer games. Especially the Millonarios-Santa Fe game, which remains a classic even today.

Streetcars, men smartly dressed in black, the austere facade of the Granada Hotel rising to one side of the Santander Park, fountains in the Bolivar Plaza, the balconies and eaves on the old houses downtown on Calle Real, all gave Bogotá the caricature-like dignity of provincial European cities. The urban landscape reflected the rigid social hierarchies: to the north, the high class; downtown, the middle class and to the south, the lower classes. The city had strict boundaries between classes.

BOILING LAVA

The part of the scoundrel was played by the lower classes. They were a mixture of Spanish liveliness and Indian shrewdness, guile and plasticity that had been fusing for centuries. For many years their best representative was a lottery ticket seller called Tigerface who would befriend lawyers and politicians that scurried around on 7th Avenue and 14th street. Tigerface hung around the *El Tiempo* newspaper building. Hoping to sell a lottery ticket he would doff his hat ostentatiously to some public figure or another and comment maliciously, with delightful disrespect, on their lastest scheme. Labourers, streetcar drivers, lottery ticket sellers, shoeshine boys, newspaper boys, cart drivers, taxi drivers, living in Las Cruces, San Cristóbal, San Fernando, Ricaurte, La Perseverancia, Puente Aranda or on the lugubrious Paseo Bolívar in shacks clinging to the hillside where Papa Fidel ruled, were all like Tigerface. They drank local moonshine, or cane cider *guarapo*, *pita* or *chicha* and spoke with a thick sarcasm traditionally liberal. These were the people that were at first called "the rabble" and later were called "the pro-Gaitán rabble".

Something must have changed in the city's social subsoil during the forties. Boiling lava started to flow

underground. That meek population wearing *ruanas* and straw hats, who at one time drove mules across stone paved streets or brought bottled water from the Padilla stream, and used to be as submissive as peons on estates and farms, became an explosive marginal class. A class with its own conscience, as Marxists would say. Or maybe they just found someone to speak for them. Somebody who could speak with the same boiling mixture of irony, fury and malice they themselves used. The speaker was a man whose cultural and political trajectory was above theirs, but he was like them. He spoke their dialect. His hair was like theirs, heavy and straight. His lips were thick, drawn in a bitter line. He carried the same gut fury for scornful treatment received from the rich, and his steel throat, in front of a microphone, would send chills down your spine. He communicated his passion to anyone who would listen.

By creating an awareness among the oligarchs for the misery of the masses, (a Greek idea adopted into the lower class's discourse), Gaitán pulled the rug out from underneath an old and traditional society of redundant hierarchies, that up until then had been accepted by everyone, including the lower classes. Then the structure began to topple. It was problably justified and inevitable, but unfortunatley there has been nothing to replace the fallen system. A peaceful, class-conscious country, with solid institutions and a prestigious ruling class, was dying. A violent and traumatized country was born: the country of today.

THE END OF SOMETHING

There only seems to be a few people who pay attention to subterranean grumbling, the smell of sulphur and ashes in the air, which precede and announce an earthquake. The same thing happens to the seismic movements of society. The nobility at Versailles had never been so ostentatious or had thrown such glamorous parties, than at the beginning of 1789. Something similar was happening, on a very modest scale, during the forties in our country. Even historians forget about it; they are only interested in writing about

violence as the result of an archaic battle between the political parties. The truth is, something deeper was going on; a virtual struggle between the classes. Every Friday from the stage of the Muncipal Theater the angry voice that shook the people, only produced a few picturesque comments and some irritation in the upper crusts of Bogota. They made jokes about "Forfe" Eliecer (Gaitan). They saw him as a resentful, lowlife who was denied membership at the Jockey Club years ago. It was irritating; because of him, maids and drivers were snapping back and becoming very uppity. Even the waiters at the Gun Club were't setting the tables right. "That lowlife taxi driver wouldn't even get out to open the door for me" one of Bogota's bushy-browed gentlemen said furiously. Carriage drivers used to do it for his father. Taxi drivers these days had no respect and Gaitan was stirring them up.

Times change. They change outwardly, but on the inside of Bogota's rich world, life still had a carefree attitude belonging to other days. Bridge and canasta was played. Good whiskey was served and piquant gossip was exchanged. Beautiful Sundays dawned over golf courses. The stock market was going up. Brillant and easy import and real estate business deals were made. Dinner parties ended up at La Reina. Now big bands alternated *boleros* by Lara and Elvira Ríos with music and a dance, the *botecito*, from the coast. The tune, *La Múcura,* was the rage. There was a new bolero being played: "A woman must be a dreamer, coquetish and passionate...". Coquetish, passionate, but with a lot of class, was a certain lady of Bogotá society who had already turned thirty. She would fix her sights on younger men with worldy confidence. There was a scintillating atmosphere around her. It was the same world as the novel "Los Elegidos" (The Chosen Ones). The novel's author was looked upon as an elegant and shy youth who brought strange theories to El Liberal's editorial room. "Alfonso's son" old men would say. "Little Alfonso" the matrons would say.

Meanwhile, Gaitan's raging voice sounded everywhere. Every Friday, men from the vast, streetcar and cafe middle class, listened to him respectfully on the radio. On the other hand, the rabble from poor neighbourhoods squeezed on to the orchestra floor, into the balconies and foyer of the Municipal Theater; filled 8th and 10th streets and all the shops that smelled of *chicha* and candlewax. They were all there to listen to that prodigious voice cry out against "The rich who are getting richer while the poor are getting poorer". Ovations resonated through the city. When the speech ended multitudes invaded the Bolivar Plaza and poured down Calle Real. A roaring, turbulent river of black hats and frenzied faces, thrusting fists in the air to the Rhythm of: "We want Gaitán! We want Gaitán!". When they reached Jiménez Avenue rocks started shattering windowpanes in the El Tiempo newspaper building. The next day when the elegant executives left their board meetings downtown, they were met with hate and scorn in the eyes of the newspaper and shoeshine boys. Sometimes the boys would spit on the sidewalk as the

executives passed by; "Oligarca" the boys said. It was the worst insult that could be given.

The whole country, especially the capital, was something of a smoking volcano. Because of 1946 elections, an accidente that put a Conservative with a fancy name in power, what was already an explosive political polarization would become a sharp social polarization. For the first time the country was split vertically and horizontally. The air was full of ashes and smelled of sulphur... the signs were clear.

Just a lot of noise, the upper echelons said. Never before had social life in Bogota been so extravagant. In honour of the IX Pan-American Congress to be held in Bogota, a new restaurant "The Golden Fawn" was opened at the foot of Guadalupe mountain. A Russian prince came to visit. Crazy parties ignited all over in his honour; the parties were so crazy that at one of them, the last one, precisely at the Golden Fawn, someone who had one too many broke a bottle over the prince's head.

Could those women in evening gowns, smothered in fur, could those men in tails ever imagine that a week later, this peaceful city in the foothills would burn with resplandecent fires like a bombarded city? Could they have ever dreamed that the mirrors and chandeliers would be smashed, curtains torn, that their brocade chairs would disappear into the slums and their champange drunk straight from the bottle by ragged hordes?

THAT DAY

It was that day, April 9th. At one o'clock, a man, short and unshaven, who was hanging around the Black Cat Cafe entrance, crossed 7th Avenue. He stopped before reaching the opposite sidewalk. He calmly pulled out a gun. He shot three times causing panic in the street. A man in a dark coat and hat fell in front of the Agustin Nieto building.

Minutes later, when it was found out that it was Gaitan who fell, the volcano exploded. Just like lava from underground, thousands of crazed men surged out of nowhere brandishing machetes and red flags. Everything in their path was burned including houses and streetcars. Everything was looted and destroyed. The following day there was nothing left downtown except charred buildings, the smell of spilled aguardiente, burnt metal and stone; hundreds of dead bodies were getting soaked in the rain and the rain was washing away pools of blood.

For me, and surely for many others, a Bogota disappeared that day. Our city. Another was born probably, that was not the quiet, dreamy and provincial city that for five cents you could cross in a tram. That one had for centuries been a viceroyal city of get-togethers and witty anecdotes, of pettyfoggers and poets, of orators and bishops who drank chocolate, of elegant suits in fashion from London, and in its republican era, of presidents who came to take office walking down Calle Real, with tophats in their hands and with ladies in furs and men in frock coats at their side. "Nothing ever happens here," complained the people, tired of so much

peace in the air, of such humming of bees the light of the geraniums, so much tolling of bells for the rosary at twilight.

The only fear that once invaded the souls of my aunts was that the gas in the war (but the poor dears did not know in this war, the second, gas was not used) would come to Bogotá and kill their canaries. There was, for sure, the tragedy of Santa Ana, when, during an airshow, a plane in flames fell on the stands. We heard the rush of ambulance sirens and firetrucks on 7th avenue and on the radio they announced the first list of the those who had died. But very soon this was forgotten, and we went back to our rocking trams in the misty mornings with the sun trying to chase the cold. We went back to the Sunday evening strolls, to the parks where could be seen the timid meetings of policemen and servingmaids, to the masses in the Porciuncula or the Veracruz churches, to the *empanadas* with lemonjuice on them, to the "*Tout va bien*" at tables that were caken trunks, Years later there was bowling in that place, at the time when we drank our first beer and smoked our first cigarette and all of us fell in love with Ingrid Bergman.

We stupidly thought, because we were very young, that bogota would always be like this, and that in the "Reina" and at the hotel Granada the orchestras would always continue to play the same sentimental *boleros,* and that the politicians would always gossip at the door of "La Cigarra", but all that would disappear in the revolt, and nothing would ever again be as it was in those times.

We left, some, like me, for years that covered a good portion of one's life. We came back to a different city, also called Bogota, threatening and enormous. Armed watchmen and alarm systems in every window protected the barrios in the north. Bodyguards accompanied the rich wherever they went. Newcomers of all kinds voraciously took over activities and businesses, moved by the greed for money at any price. This whole immense country came to feel insecure, in the countryside because of the guerrillas, in the city due to the extorsion and the misery that came to the capital. The marginal classes invaded the center of the city with all kinds of streetsales and stalls, driven by hunger. Downtown, where men and women, austerely dressed, in other times walked after the movies with a kerchief over their mouths so as not to catch a cold, now is a poisonous nocturnal world of crooks, drug dealers, beggars and transvestites.

In this city, that their fathers, grandfathers and greatgrandfathers considered their own without fear of anything, secure, refined, always taken care of for their illustrious names, the gentlemen of Bogota came to feel as exiles or as survivors. The end of a race or a dynasty did not warn of such turbulence, that other. That secret power of these new *bogotanos,* without a past, sons of Tolima, Boyacá, Santander, Valle, Antioquia and the coast, their creativity, their shameless anxiety to find a way, to challenge a difficult destiny. Their Bogota is another city. Hard. Vibrant. Avid. Yes, another city. I had wanted to tell these people how my city was, the one that went up in flames that day in April.

Salt, gold and emeralds

Jiménez de Quesada departed from Santa Marta for the mountain plateaus, and left behind ferocious tigers, alligators and a jigger flea itch that eventually inmobilized the troops. All this, to Quesada, meant fabulous riches; even the burning jiggers became the soldiers' dream-come-true. They enjoyed the Indian girls as they plucked nests of eggs and burrowing insects from their skin with golden tweezers. It was said that the master of these lands, Bogotá, had chosen this enchanted place, Teusaquillo, to come and relax. It was a joy to see the greenery at the foot of the high hills, between the two rivers with plentiful and clean waters. "Good Earth, Good Earth, Good Earth that ends our misery", the poet of a thousand verses wrote.

Gathering their resources, each *conquistador,* Gonzalo Jiménez de Quesada, Nicolás de Federman and Sebastián de Belalcázar, arrived in the land of salt, gold and emeralds. One of them brought donkeys, the other chickens and the third pigs. They brought a whole spectrum of things, from the human to the sensational and domestic. On these three stones rests the hearth of Bogota's early history.

Jiménez de Quesada chose the location of the capital and the choice was not made arbitrarily. He rode all over the lands that were going to be the seat of the Colony. He wrote the entire first chapter on an expedition to the emerald mines, Sacresaxigua's sacrifice (they burned his feet and exiled him from this world for not having turned over Bogotá's gold, that nobody ever found) and the fire in the Sogamuxi temple... Don Gonzalo had not only measured the Bogotá savannah, but the lands around the Tunja and Muzo territories. The prettiest thing he saw was Teusaquillo. The most beautiful thing he saw were two mountains: Monserrate and Guadalupe. What today are wheat fields, clover patches, rows and groves of eucalyptus, willows on the outskirts of Funza, Castilla roses, and everything we inherited from Spain, cows, dogs, horses, that made up the city and colonial farmlands, could never have been imagined by the *conquistador,* even in his wildest dreams. When Bogotá was founded, todays pastures, hamlets, roads, country houses, estates and even peasant cementaries...were marshes, lagoons and swamps. The river would overflow and flood the lands. But it never became a lagoon because Bochica opened a gap for the Tequendama falls. There was, of course, no lack of bulrush rafts. *Capitanes* were caught in the lagoons and rivers, and crab colonies lived in the mud. The newcomers could add, with delight, fried *guapuchas* to their corn and potatoe dinners, and exotic fruits such as *curubas* and *uchuvas* and *mamones* and *uvas camaronas* and *mortiño* from the neighbouring hills...

The most extraordinary part about the founding of the city was that the three surviving expeditions arrived with the same number of adventurers and what endures in the ten thousand square foot Bolivar Plaza, is everything that happened during the Colonial and Republic Periods. On August 6th, 1538 Jiménez de Quesada got off his horse, pulled up a handful of grass, strolled around and declared he was taking possession of the land in the name of the emperor. Twelve thatched huts dedicated to the Twelve Apostles, were really the first houses. When Federman arrived from Coro on the Caribbean and Belalcázar from Quito, they chose the site for the temple, which with time would become a cathedral, and the capital of the New Kingdom was born. In the beginning the city was made of mud huts with thatched roofins, which culminated in adobe and tile. The first one to build with adobe was Alfonso de Olalla who had arrived with Federman. "He was the first to lay down adobe, although, the roof was thatched like everyone else's" (Brother Pedro Simon).

Among the founders of the city the most prominent figure was Jiménez de Quesada; a graduate in law and writer verging on poet. He defied the governer of Santa Marta during the Tora assembly on the upper Magdalena. Resigning the post Fernández de Lugo had given him, he proposed the election of a General Captain whom all would obey. His idea was approved unanimously and he was elected by the Commoners. From then on, he only answered to the king. Quesada's defense of Carlos V, was the *Antijovio,* a book of great length, the likes of which no other *conquistador* or anyone since in Latin America has written. He was not rewarded with the title of Marquis like Cortés or Pizarro were, and he died after two more quixotic expeditions, without having founded any other large cities besides the capital of the New Kingdom of Granada. A Kingdom that had been his own invention. I have come to think that Cervantes had Quesada's heroic feats in mind when he wrote the book about the ingenious knight, Don Quixote...

When Belalcázar split off from Pizarro, he headed north and became the founder of Quito, Pasto, Cali and Popayán. Just short of being illiterate he created his own grandeur in his conquests and cities. When Belalcázar passed through Santa Fe he left no mark other than his meeting with Quesada and their return to Spain with Nicolás Federman. Federman like other Germans who arrived in Venezuela, was not the type to found new cities. Federman was on the move, like Quesada or Belalcázar, drawn by the ghost of *El Dorado.* Federman wrote his memoirs and they were published in Germany. In Bogotá, they were only aware that he had come and gone...

Quesada was our first writer, our man, the first to write books, chronicles, sermons and essays. Quesada whet people's appetite for the written word, which has made the capital of Colombia, if not the Athens of South America, then the greatest literary café in Latin America. By absurdly placing the capital of his new kingdom on top of the Andes mountains at an immense distance from both oceans, Quesada obliged those sent to govern to overlook a vast republic from a frozen summit in the interior. Many of the governers died without having ever seen the ocean. This quaint absurdity made hundreds of small towns and cities spring up along the roads from the coast to the interior. More often than not, they managed to emulate the colonial city called the Black Eagle, now called the city of *Cachacos* and *Orejones.* After all, Good Earth...

By Germán Arciniégas

Bogotá for beginers
By Antonio Caballero

Perhaps it is true that, once upon at time, Bogotá was a cold and ugly city, grey, with leaden skies that used to unleash unceasing rain on sad crowds all dressed in black. But real *Bogotanos,* who are scarce among the 5 million inhabitants of the city, have never seen it this way. This depressing outlook is no more than the resentment of the provinces:

"It's not fair: these *cachacos,* not only do they get to live in Bogotá but on top of that, they located it in the loveliest spot in Colombia". And it is for this reason that the word *"cachaco"* is a compliment in Bogotá, and in the rest of the country, an insult.

Ugly, Bogotá? It has, without a doubt, that monotonous ugliness of big cities; but no one judges the beauty of London by its streets and streets of proletarian houses, black with soot and sadness, and crossed by the thunder of the subways - or even better, by the elevated trains; nor that of Leningrad with its grey prisons of alcohol and tedium. And it also has, without a doubt, the picturesque and terrible ugliness of absolute poverty, like Rio or Calcutta; miserable barricades of abandoned children and sewage. But these are, let's say, ugliness in numbers: 5 million inhabitants are enough, and then some, to make Paris, Istambul, Cairo and Chicago frightful. And it is possible, this is also true, to find in Bogotá particularly repulsive eyesores, caused by the municipal authorities (sometimes called district authorities): but the destructive actions of this terrible thing, with that terrible name —municipal authorities— do not leave even Venice undamaged.

Apart from that: Bogotá, ugly? An airy city that rises up to the top of the mountain range, and that looks into that pale green mirror of the savannah, like someone looking into the water of a lake. The savannah is wide, with a low hill or

two, divided into squares by rows of eucalyptus and weeping willow, dotted with cows and bicyclists. Above the jagged barrier of the mountains, Bogotá skies are shining like polished silver, or they show the damp and dim appearance of tin, or they are an intense and fragile blue, where steel grey clouds navigate slowly, like war ships, incandescent around the edges. When it rains, sure, it rains the weak drizzle of the high plateau that makes a drop of water shine on the leaves of every tree, on the tip of every blade of grass; or sudden titanic deluges that turn the football stadium and the bullring into bristley lakes of thousands of black and shiny umbrellas; or hailstorms that blanket the geraniums and leave the gardens crackling white. When it rains, Bogotá prepares for the sun that will come; for this is not a city like most others, where the sun comes out once every day, but one where it comes out several times a day. It comes out, early, in a sky still green from hills still dark and nocturnal; or it bursts out in the afternoon between tattered shreds of cloud. And then there is the bright and hard sun from a height of four kilometers, that licks and caresses the colors, livens the dark pink of bricks and the reddish brown of roof tiles, washes the black and renews the greys and makes the soft and tender greens throw light on the darker greens, like layers of water on water in the ocean. It is a dazzling sun, but always considerate. It is the sun as it should have been created in the beginning: to warm up in the sun and cool down in the shade, without the excesses of sun in hot climates, without the sweat and the dust. Thus it does not suffocate nor overwhelm nor destroy, but calmly draws blue shadows over the green fields.

A grey city, they say; dead, where people wear hats and stiff woolen clothing. But what's sure is that the grey of Bogotá is only an esthetic resource to make the colors

stand out, as they do in Velásquez's paintings. The whole range of greens, violent reds, primary and furious yellows, electric blues, *Soacha* pinks; it is not by chance that the most strident hue that pink can produce, is baptized with the name of Soacha, that villagelike suburb in the south of Bogotá... because our city is one of intense and frightening colors, shameless, obscene in the strong and raw light of high mountains. Disturbing colors on the walls of poolrooms downtown, and on the pants of teenagers in the north part of town, colors of wicked violence that are harsh and unweathered: the chartreuse greens and shrill yellows of the sports outfits seen on streets closed off for bicycling on Sundays, hot oranges, indigos and purples in the phosphorescent ruanas of the customers in the marketplaces or on night watchmen with rifles. Altogether Bogotá has the colors of all the fruits they sell from carts on the street corners: avocados and mangos, oranges, guavas, pineapples and *granadillas,* plantains and *mamoncillos, chirimoyas,* tangerines, cherries, *curubas,* papayas, watermelons, *pitahayas, zapotes, uchuvas, nisperos* and plums, and limes and *feijoas* and the meek, tempered hues of the waterpear, the chilean apples, the imported apricots, the yellow lemons and the mintleaves. There are golden cities, like Rome, or silver, like Paris. In Bogotá where history has not had time to tone down the hues and lighten the shades, all the colors of the rainbow explode simultanously. Any one of those rainbows that magically come out in the afternoons after a hard rain, over the canyon of Cruz Verde or the foothills of Chicó.

And this same confusion, these ill-assorted out-of-control colors are also found in Bogotá's flora, in its architecture, in its urban fauna. It is a city made up of a thousand *barrios* that have burgeoned directionless at the whim of a flood of immigrants, influenced by the contradictions of haphazardness and memories. *Barrios* with the solid houses of New England, the tall red houses vaguely inspired by the Dutch, or perhaps Tyrolean, low, white houses in the Californian colonial style. Houses with lots of courtyards open to winds from high plateaus, with tiles of clay and balconies made of carved wood, and small castles in the Loire style with conical roofs made of grey slate tiles, and Roman terraces with palmtrees and loggias, and steep Finnish roofs made for the great snows of the polar night, and Antillan fronts of iron filigree painted different colors, and colonnades of Doric, Ionic and Corinthian columns, with scrolls of laurel and acanthus worked in the stone. Little French palaces from the seventeenth century. Skyscrapers of glass that have a Panamenian look. Texan ranch houses. Andalucian farmhouses. Huge patrician houses. Alpine chalets. Hunting cabins from the Carpathians. Japanese gardens with tiny bamboo bridges of reinforced concrete with Walt Disney dwarfs in the shade of big mushrooms of colored metal. Gables in rubblework, attics of brick, large towers of stone, slums of cardboard and corrugated iron. Patios from Córdova with fountains and glazed tiles, Paris lofts, Berlin bunkers, Bagdad mosques, Chinese pagodas, Miami synagoges, Karnak temples, Babylonian tombs, English country houses from Surrey with foxes and horses housed in covered stables, and a shopping mall with underground parking and a crystal gallery where they serve coffee Viennese style.

And all this is not forever, it changes every night and is different every day. Everything is temporary. While I am writing, in Bogotá —in what up to a few moments ago was the Bogotá I am describing here— all this urban conglomeration is changing inexorably, like a living thing. One of these patrician or Californian or English houses is being torn down to give way for a luxurious apartment building with a booth for the watchman and parking for visitors. Now it is without a roof, and the trucks that remove the rubble have destroyed the garden with its yellow roses, its bed of blue hortensias and a cherry tree.

When the rear walls are fallen one can see, standing straight among the ruins and the dust, the strangely curved trunk of a sour *papayuelo* tree, unique, like a Martian tree; but it will immediately be replaced by a more fashionable tree, like an "*amarrabollos*", or a "*siete cueros*", or a *magnolia*.

Throughout this changing urban chaos, circumventing closed residencial compounds watched over by private guards, avoiding squatter neighborhoods, ignoring the confused blinking of the traffic lights, a living mass of people circulates ceaselessly. Crowds of people in shirtsleeves, in bulletproof vests and fur coats; red and blue buses that are called the yellow buses, smoking micro-buses, tractor-trailers with twenty-four wheels loaded with flowers, or weapons, or polo ponies or race horses; wheelbarrows or carts pulled by horses, loaded with garbage or firewood, bulletproof Mercedes cars followed by a flock of bodyguards, men selling lottery tickets or contraband cigarettes, buses transporting school children or musicians from the symphony orchestra, carts with small wooden wheels pushed by an old man with ruana and Indian sandals. In the traffic jams, a poor kid appears at the car window, offering a tight little bunch of wild flowers and hard *arrayán* leaves tied up with the wet and velvety leaves of the *frailejón* from the highlands. And it is more the traffic jam than the movement the way one gets around in Bogotá. Because of the rain that makes brooks overflow and turns streets into torrents of water that end up jamming up with rocks and tree trunks that slide down from the mountains. Or because of the ancient taxis that stall in the middle of the street. Or because of the long slow line of cars in an elegant funeral procession. Or a street theater group that takes up the whole width of the street. Or the protest march of an illegal union. Or the impenetrable accumulation of street vendors that sell watches or *empanadas*, or books by Vargas Vila and Mao Tse Tung, and old issues of Playboy or Readers Digest, or Ecuadorian ruanas, or primitive paintings, or *ceviche* with shrimp from the Pacific or oysters from the Ciénaga on the Caribbean coast.

Anything at all could be going on up ahead of the traffic jam. A bank robbery or the presentation of an Argentine crooner, the birthday party of a member of the Mafia, or the attack on the Cathedral by a group of guerrillas, the capture of the elephant that escaped from a circus, the funeral of a bull fighter, the lynching of a pickpocket, the inaugural session of Parliament, the siezing of terrain for an illegal housing project, or the inauguration of a new park for lovers or a small temple for the episcopal conferences, or a race track for motorbikes or for horse racing, a volcanic eruption, or a papal visit. These are things that happen in Bogotá almost every day. A cow grazes tranquilly on the avenue division, a carpenter with a yellow plastic helmet sleeps his siesta there or plays around with his girlfriend in the middle of the tumult of

cars that honk, the clowns on stilts that shout about the bargains, the clamor of the brass, wind instruments and drums of the military band of the Presidential Guard practicing the national anthem, with the penetrating smell and mix of burnt gasoline, melted sweets of cotton candy, of hot greases and fried meats, of the sweat and hope of the pilgrims that climb on their knees to the miraculous sanctuary of Our Lord of Monserrate to ask for a favor. They are things that happen in Bogotá every day, and do not surprise anybody.

It is not a serious city. It can't be, not in a city where eucalyptus trees grow shoulder to shoulder with palmtrees, where official stationary is sold in the grocery store, agricultural raw materials at the Notary Public, and aguardiente in the hardware stores. A city that has as many pool halls as it has courts of law, and more universities than they have in all of West Europe from Prague to Oxford, going by Paris, Padua and Salamanca. A city where you change climate and season when you change neighborhood, where cock fights coexist with brain scans, that has a road going snakelike over the foothills between different native trees, where you can slam into a fallen tree trunk put there by pirates as ferocious as those that sailed the seas near Java a century ago.

If the city has the reputation of being boring, stiff and solemn, it is not the fault of the city, but of the people who govern it, who come never from here, but instead from the prairie, the Caribbean coast or the coffee growing areas in the central mountain range. That's because Bogotá, since it was founded four and a half centuries ago by a Spaniard from Granada, always had to bring their mayors in from other parts of the country.

313

From village to city

By Jacques Mosseri Hane

*"The city is constructed on the foothills of
the two high mountains it has
behind it, and by the vast savannah in
front of it; thus it becomes
a sort of amphi-theater".*

C.A. Oselmann 1825

To divide the urban and architectural development of a
city into definite periods, following historical-academic
method and analysis, is an error very easy to fall into,
and can lead to arbitrariness. But then again, in historical
analysis can be found socio-political events that mark an
important turning point, that define an epoch, a
beginning or an end. In the history of a city, these same
events do not make changes that are felt very much in
the structure of the city, at least not in a short or a
medium term.

Beginning with the Spanish conquest, when Quesada
had constructed 12 little huts with straw roofs
and a small church or wood and mud, a long and slow
process of culturization began, constantly pulled by the
loss of its indigenous past. Founded in 1538, Bogotá
had in its beginning a population that was made up
mostly of those Chibcha Indians that the Spanish found
on the savannah (in conditions that were never made
completely clear).

In 1812, historical research finds that the town had
reached the number of 20,000 inhabitants,
and from there to 1880, the date of the Independence
and the beginning of the Republican era, it had grown to
70,000 inhabitants. In 1830, the city shows itself
structured around its historical center, with the Bolivar
Plaza as its focal point, and it begins to make clear
what its general disposition and characteristics are: A
longitudinal growth, favored by the installation
of a modest muledrawn streetcar, that seems to push the
number of inhabitants from a little more than 100,000 in
1910 to 330,000 in 1938. From that "Great Village" as
Hernando Téllez puts it, the city in fifty years grows to its
almost 6 million people of today.

In the 400 years before 1938, the colonial city evolved
very slowly, from a city enclosed and limited by its
streets in contrast to the surrounding countryside, to a
linear city that sought escape to the north and the
south, guided by clear geographical determinants. The
aspect was thus changing slowly, and the colonial
mixed imperceptibly with the so called Republican, that
many times superimposed itself on the colonial forms or
replaced them. But there were no major traumas, and life
continued in this Frenchstyle city, neoclassical,
extremely surprising and unexpected in the twenties,
even when it preserved this aspect that Miguel Cano
described in 1882 as straight and narrow streets,
low houses with straw roofs and wooden balconies, that
evokes Córdoba and that like magic transported one
back to the Spain of Cervantes' times.

But it is only the events that have repercussions in the
real and physical part of society, that make a
definite change in the urban structure of the city. Thus
the mule drawn streetcars, inaugurated in 1884, break
the inherited urban structure of colonial stripe and
project the city outwards, with a species of compulsion
that responds to the growth of the society itself, as
Carlos Martínez describes in "Bogotá, Synopsis of its
Urban Evolution". "Then came the street cars —he
writes— to the Chapinero plaza and to the south on
Carrera 7th to the Plaza de las Cruces, or the outer limits
of the urbanized area in those times; to the west the
streetcars went as far as the cemetery, they came to the
train stations of the north end of the Savannah,
and continued on 13th Street to 20th Avenue, the
extreme west of the city".

In Bogotá, this change brings on the creation of
University City, in the northwest, which has as
a consequence the explosive expansion of the city out
towards it surroundings. The process that followed
during those years was as accelerated as the growth of
the population itself, which followed, in turn, political and
social aspects in the Countryside that turn Bogotá into

the area of the largest rural migration to the city that
Colombia has experienced in its entire history.

The first neighborhoods that come into being outside the
traditional city nucleus, such as Bosque Izquierdo,
La Merced, Teusaquillo, represent a type of city radically
different than before. The narrow streets are replaced
by broad avenues and streets with trees, bordered by
front yards, that make their first appearance in the urban
area. In the center of the city, the old structures are
also replaced by the first highrise buildings. But here
appears a phenomenon that makes Bogotá different
from other American cities, and that was detected in
1823 by G. Mollien when he said: "The architects in
Santa Fe always have an excuse for the deformation of
their buildings, and it is that the condition of the ground,
with its frequent earthquakes, obliges them to sacrifice
elegance in places for solidity; because of this,
the houses are not tall, in spite of their walls that have a
prodigious thickness". Several decades passed before
construction techniques had evolved sufficiently to allow
for buildings taller than the then-existing five
or six stories".

Today, in spite of rhe enormous growth of the other
important cities in the country, Bogotá continues to
represent synthesis in the area of progress. Limited in the
east by the mountain chain and in the west by the
Bogotá river, its form is vacillating between the
appearance of a village that conserves its past, and the
internationalized image and dynamic that does not know
which direction to take. On the one hand there are plans,
an urban perimeter is established, it is structured
on the basic of concentric rings that pretend to contain,
in an organized manner, the inevitable growth of the city.
And on the other hand, day by day constructions go on
in a spontaneous and horizontal way, a city that depends
on its informal economy, and that conforms more to the
traditional forms of development. Thus, living together in
the same city are styles of the most primitive rural village,
with its humble streets and stores, transported almost
intact by recently "urbanized" inhabitants, and modern
skyscrapers, placed on their islands bordered by
avenues, commercial centers that try to replace the
traditional and commercial streets, and the "closed
compounds" of homes, that try to give back to a fraction
of the population the security they had in the colonial era.

From this struggle of adverse forces and classes
economically far apart, necessarily will come an open
city, democratic, that instead of dividing, brings together
its citizens and recovers the public spaces for everyone.
Now they talk about "Massive transport project for
the Savannah of Bogotá" that interconnects with the
system of Metropolitan Trains, now under study. But it is
an internationally known fact that public
transportation brings with it indiscriminate urbanization
in the areas where it passes. The alternative for
Bogotá and the great metropolitan region that lays
around it, with its unique characteristics, is a planned
distribution of population that implies a harmonious
growth balancing the natural satellite cities, firstly for
obvious topographical reasons, Zipaquirá,
Facatativá and then Fusagasugá and Villavicencio. The
massive transportation should therefore serve, not to
extend the urbanization in an unlimited way to the
detriment of the green and agricultural zones, but rather
to interconnect the different urban conglomerations in
an agile and efficient manner.

The Candelaria

Germán Téllez wrote —with the lucidity and equanimity that characterize his judgment— that the colonial architecture of *Nueva Granada* lacked the grandness of that of Mexico, Buenos Aires or Lima for a number of reasons. Thus *La Colonia* bequeathes us a simple architectural expression, provincial, exempt of sophistication, at least on its outer skin. "But beware!" warns Téllez. "It is Spanish. Its soul is full of subtleties and maze scroll-work".

This is the *barrio* the Candelaria in Bogotá: the very transcript of Spanish architecture. Flat lines, Andalucian-like, charged by surprising twists. There's never a lack of the nice turn in its severe austerity, nor the calm touch in its square patios, its long corridors, and its smooth walls, doors and window frames with a mere wisp of adornment on the wood or iron. It represents both the strong and weak points of the Spanish urbanistic mentality that developed int the New World. It consisted of a nucleus of a village that gradually through the years expands into a metropolis and therefore guards the keys to the past as well as its connections to the present. All this converts the sector into a collective patrimony.

There in the Candelaria have lived the viceroys, bishops and aristocrats who built their palaces, churches and abodes with the building materials they could get their hands on, at best precarious Spanish and native material. Later Republican winds swept the *barrio* with buildings of Italian, French and English inspiration to habor presidents and the incipient local bourgeosie. The usual result was a surprising harmony of different styles. In this way the history of Colombia was written in the Candelaria in the past and it continues to be written there in the present day.

But the importance of the antique environs has only came into public awareness in 1963, and it was still 20 years later before something was done about it. In 1971 City Hall issued precise norms to protect the neighborhood and in 1980 the Bogotá City Council created the Corporación La Candelaria which actually began to function in 1982.

The Corporación La Candelaria focuses on the task of recovering and revitalizing under dynamic terms, that is, without isolating from the development of the city surrounding it in order to avoid the *barrio* from being turned into a sort of museum zone. The Corporación has restored buldings and erected others that never existed, like parks and soccer fields or basketball courts, as well as promote interest in the old architecture and also detail the acute deterioration process of public space there. At the same time this work helps stop the devaluation of all these special architectonic structures. These are initial steps toward the definitive preservation of a national patrimony that was left unprotected for years.

FOOTNOTES

Page 40 *El Camarín del Carmen: a street out of 1655.*

La Candelaria barrio: *the likeness of Spanish architecture.*

41 *The Candelaria is where the viceroys, bishops and lords built their palaces and churches out of rustic Spanish and native materials. Then came the Republic with its Italian, French or English buildings that housed presidents or the local bourgeosie.*

Foto B *Plazuela Rufino José Cuervo.*

43 *Museum of Urban Development. Houses original city plans.*

44 *Carrera 6 and Calle 14. Symmetry of balconies and doors.*

Cartagena-like house Carrera 8 between Calles 11 and 12.

Blue balconies between Casa de los Comuneros and Santa Clara Church.

45 *Casa de los Comuneros, on a corner of Bolívar Plaza.*

46 *Casa de la Moneda where coin-making began in Bogotá.*

47 *La Iglesia del Carmen and the Salesian School León XIII. Carrera 5 between 8th and 9th Calles.*

48 *The House of the tragic poet José Asunción Silva, now converted in the House of Poetry.*

The beautiful colonial patios. Upper, a home. Below, left, The Gilberto Alzate Avendaño Foundation.

49 *La Corporación La Candelaria is trying to rennovate the neighborhood without isolating it from the rest of the city.*

49 *Calle de la Fatiga or Calle 10, and the atrium in the San Ignacio Church.*

50 *A traditional framework for the Economic Society of Friends of the Nation.*

Recently-remodeled historic Casa del Florero, also 20th of July Museum.

52 *Our Lady of Rosary High School, founded in 1643. The best colonial artists painted the walls of the Rosary.*

Page 54 *San Carlos Palace. In 1824 Bolívar made it the presidential palace.*

San Carlos Palace. Now the Foreign Ministry Chancellory.

56 *What is now known as Teatro Colón was originally the José Tomás Ramírez Coliseum. It became Teatro Colón in 1895. For several decades it has been the home of the Symphonic Orchestra of Colombia.*

58 *The 20th of July Museum located on one corner of Bolívar Plaza. This is where the independeance movement got its inspiration.*

Casa de la Moneda.

59 *House of the Marquis of San Jorge. Perhaps the most important mansion in the colonial period.*

60 *Above, the Museum of Urban Development. Below, the Museum of Colonial.*

61 *The Museum of the 19th Century. Clothing, furniture, art and general culture of the period.*

62 *Museum Quinta de Bolívar. Here resided Liberator Simón Bolívar. Opposite page, next to the Quinta, the Sociedad Bolivarina de Colombia, founded in 1924 and dedicated to The Liberator.*

66 *Palacio de Nariño —the presidential palace.*

68 *Inside the Palacio de Nariño. Open for tours on Saturdays, Sundays and holidays.*

70 *The symbol of executive power in the Plaza de Armas (below) and the symbol of the legislature (above).*

71 *Modern artistic focus on old San Bartolomé Cloister.*

72 *Presidential Guard. Oldest astronomical observatory in Latin America, founded in 1802.*

The Palacio Echeverry in front of Palacio de Nariño (opposite page).

75 *Plaza of Bolívar, the center of Bogotá and of Colombia's political and religious institutions.*

76 *Plaza of Bolívar, a gathering place for children, police, the Mayor, the Archbishop and a ballet exhibition.*

78 *City Hall, built at turn of the century.*

315

316

317

Este libro se terminó de imprimir en los talleres de LITOGRAFIA ARCO el 3 de noviembre de 1987. La edición consta de 5.000 ejemplares de 320 páginas impresas en papel propalmate de 115 gramos, encuadernados en pasta dura de cartón y forrada con tela velero de color crudo repujada al calor. Sobrecubierta impresa a cuatro colores y plastificada por una cara.

Es un aporte de Ediciones Gamma a la celebración de los 450 años de la fundación de Bogotá.

Todos los derechos reservados.

Consuelo Mendoza de Riaño - Armando Matiz Espinosa.

Ediciones Gamma. Cra. 10 No. 64-65. Teléfono 2122873.

Colaboraron en la promoción de Así es Bogotá:

Amalia de Vargas Rubiano
María Inés Vanegas
Luz Elena Delgado
Elizabeth Pinzón

INDICE DE FOTOGRAFIAS